L'HORREUR ÉCONOMIQUE

Viviane Forrester, romancière, essayiste, a publié entre autres : *Ainsi des exilés ; Virginia Woolf ; La Violence du calme ; Van Gogh ou l'enterrement dans les blés ; L'Œil de la nuit ; Ce soir, après la guerre.* Elle est critique littéraire au *Monde* et membre du jury du prix Femina.

Traduit en vingt-deux langues, *L'Horreur économique* a reçu un accueil retentissant tant en France qu'à l'étranger. Il a reçu le Prix Médicis 1996 de l'essai.

VIVIANE FORRESTER

L'Horreur économique

FAYARD

Certain soir, par exemple...
retiré de nos horreurs économiques
... il frissonne au passage des
chasses et des hordes...

Arthur RIMBAUD
Les Illuminations

Il ne faut pas [que le peuple] sente la vérité de l'usurpation : elle a été introduite autrefois sans raison, elle est devenue raisonnable ; il faut la faire regarder comme authentique, éternelle, et en cacher le commencement si on ne veut qu'elle ne prenne bientôt fin.

PASCAL
Pensées

Nous vivons au sein d'un leurre magistral, d'un monde disparu que nous nous acharnons à ne pas reconnaître tel, et que des politiques artificielles prétendent perpétuer. Des millions de destins sont ravagés, anéantis par cet anachronisme dû à des stratagèmes opiniâtres destinés à donner pour impérissable notre tabou le plus sacré : celui du travail.

Détourné sous la forme perverse d'« emploi », le travail fonde en effet la civilisation occidentale, laquelle commande la planète en entier. Il se confond avec elle au point qu'au temps même où il se volatilise, son enracinement, son évidence ne sont jamais officiellement mis en cause, et moins encore sa nécessité. Ne régit-il pas, en principe, toute distribution et par là toute survie ? Les enchevêtrements d'échanges qui en découlent nous paraissent aussi indiscutablement vitaux que la circulation du sang. Or ce travail, tenu pour notre moteur naturel, pour la règle du jeu convenant à notre passage en ces lieux étranges d'où nous avons chacun vocation à disparaître, n'est plus aujourd'hui qu'une entité dénuée de substance.

Nos concepts du travail et donc du chômage, autour desquels la politique se joue (ou prétend se jouer), sont devenus illusoires, et nos luttes à leur propos aussi hallucinées que celles du Quichotte contre ses moulins. Mais nous posons toujours les mêmes questions fantômes auxquelles, beaucoup le savent, rien ne répondra, sinon le désastre des vies que ce silence ravage et dont on oublie qu'elles représentent chacune un destin. Vaines, angoissantes, ces questions périmées nous évitent une angoisse pire : celle de la disparition d'un monde où l'on pouvait encore les poser. Un monde où leurs termes se fondaient sur une réalité. Mieux : fondaient cette réalité. Un monde dont le climat se mêle toujours à nos respirations et auquel nous appartenons de façon viscérale, que nous en ayons profité ou pâti. Un monde dont nous triturons les vestiges, affairés à colmater des brèches, à rapiécer du vide, à bricoler des ersatz autour d'un système non seulement effondré, mais évanoui.

Dans quel rêve nous maintient-on à nous entretenir de crises à l'issue desquelles nous sortirions du cauchemar ? Quand prendrons-nous conscience qu'il n'y a pas de crise, ni de crises, mais une mutation ? Non celle d'une société, mais celle, très brutale, d'une civilisation ? Nous participons d'une ère nouvelle, sans parvenir à l'envisager. Sans admettre ni même percevoir que l'ère précédente a disparu. Nous ne pouvons donc en faire le deuil, mais nous passons nos jours à la momifier. A la donner pour actuelle et en activité, tout en respectant les rites d'une dynamique absente. Pourquoi cette projection permanente d'un monde virtuel, d'une société somnambule dévastée par des problèmes fictifs – le seul problème véritable étant que ces problèmes n'en sont plus, mais qu'ils sont devenus au contraire la norme de cet âge à la fois inaugural et crépusculaire que nous n'assumons pas ?

Certes, nous maintenons ainsi ce qui est devenu un mythe, le plus auguste qui soit : le mythe de ce travail lié à tous les rouages intimes ou publics de nos sociétés. Nous prolongeons désespérément des échanges complices jusque dans leur hostilité, des routines gravées au plus profond, une antienne depuis si longtemps chantée en famille – une famille déchirée, mais soucieuse de se souvenir qu'on a vécu ensemble, mais friande des traces d'un dénominateur commun, d'une sorte de communauté, pourtant source et lieu des pires discordes, des pires infamies. Pourrait-on dire d'une sorte de patrie ? D'un lien organique tel que nous préférons tout désastre à la lucidité, au constat de la perte, tout risque à la perception et à la prise en compte de l'extinction de ce qui fut notre milieu ?

A nous, dès lors, les médecines douces, les pharmacopées vétustes, les chirurgies cruelles, les transfusions tous azimuts (dont bénéficient surtout quelques bien-portants). A nous les discours pontilénifiants, le catalogue des redondances, le charme réconfortant des rengaines qui couvrent le silence sévère, intraitable de l'incapacité ; on les écoute médusé, reconnaissant d'être distrait des épouvantes de la vacuité, rassuré de se bercer au rythme de radotages familiers.

Mais, derrière ces mascarades, pendant tout le cours de ces subterfuges officialisés, de ces prétendues « opérations » dont on connaît d'avance l'inefficacité, de ce spectacle paresseusement gobé, pèse la souffrance humaine, réelle celle-là, gravée dans le temps, dans ce qui ourdit la véritable Histoire toujours occultée. Souffrance irréversible des masses sacrifiées, ce qui revient à dire de consciences une par une torturées et niées.

Du « chômage » il est question partout, en permanence. Le terme est pourtant aujourd'hui privé de son sens véritable, car il recouvre un phénomène différent de celui, tout à fait obsolète, qu'il prétend indiquer. On nous entretient cependant, à son propos, de laborieuses promesses, fallacieuses le plus souvent, qui laissent entrevoir d'infimes quantités d'emplois acrobatiquement émises (soldées) sur le marché ; pourcentages dérisoires en regard des millions d'individus exclus du salariat et qui, à ce rythme, le seront encore pendant des décennies. Et alors dans quel état, la société, eux, le « marché de l'emploi » ?

On peut compter, il est vrai, sur d'allègres impostures, telle celle qui a supprimé des statistiques 250 000 à 300 000 chômeurs d'un seul coup, d'un seul... en radiant des listes ceux qui accomplissent au moins 78 heures de travail dans le mois, soit moins de deux semaines et sans garanties[1]. Il fallait y penser ! Se rappeler aussi à quel point il importe peu que le sort des corps et des âmes camouflés dans les statistiques ne soit pas modifié, mais seul un mode de calcul. Ce sont les chiffres qui comptent, même s'ils ne correspondent à aucun nombre véritable, à rien d'organique, à aucun résultat, même s'ils ne désignent que l'exhibition d'un trucage. Badines espiègleries ! Comme celle d'un gouvernement antérieur, quelques mois plus tôt, criant victoire, ébaubi, se rengorgeant : le chômage avait donc décru ? Non, certes. Il avait au contraire augmenté... moins vite, cependant, que l'année précédente !

Mais, tandis qu'on amuse ainsi la galerie, des

---

1. 1er août 1995.

millions de personnes, je dis bien de *personnes*, mises entre parenthèses, ont droit pour un temps indéfini, peut-être sans limite autre que leur mort, à la misère ou à sa menace plus ou moins rapprochée, souvent à la perte d'un toit, à celle de toute considération sociale et même de toute autoconsidération. Au pathos des identités précaires ou naufragées. Au plus honteux des sentiments : la honte. Puisque chacun se croit alors (est encouragé à se croire) maître failli de son propre destin, quand il n'a été qu'un chiffre assené par le hasard dans une statistique.

Foules d'êtres luttant, solitaires ou en famille, pour ne pas ou ne pas trop et pas trop vite croupir. Sans compter, à la périphérie, ceux, innombrables, qui craignent et risquent de basculer dans cet état.

Ce n'est pas le chômage en soi qui est le plus néfaste, mais la souffrance qu'il engendre et qui provient pour beaucoup de son inadéquation avec ce qui le définit ; avec ce que le terme de « chômage » projette, qui n'a plus cours, mais qui détermine toujours, néanmoins, son statut. Le phénomène *actuel* du chômage n'est plus celui désigné par ce mot, mais c'est sans en tenir compte, en fonction du reflet d'un passé détruit, que l'on prétend y trouver des solutions et, surtout, que l'on juge les chômeurs. La forme contemporaine de ce que l'on nomme encore chômage n'est, en fait, jamais cernée, jamais définie, donc jamais prise en compte. Il n'est en vérité jamais vraiment question de ce que l'on désigne sous les termes de « chômage » et de « chômeurs » ; même lorsque ce problème passe pour occuper le centre du souci général, le phénomène réel est, au contraire, occulté.

Un chômeur, aujourd'hui, n'est plus l'objet d'une mise à l'écart provisoire, occasionnelle, ne visant que quelques secteurs ; il est désormais aux prises avec une implosion générale, avec un phénomène comparable à ces raz-de-marée, cyclones ou tornades, qui ne visent personne, auxquels personne ne peut résister. Il subit une logique planétaire qui suppose la suppression de ce que l'on nomme le travail, c'est-à-dire des emplois.

Mais – et ce décalage a des effets cruels – le social, l'économique se prétendent toujours commandés par les échanges effectués à partir du travail, alors que ce dernier a fui. Les sans-emploi, victimes de cette disparition, sont traités et jugés en fonction des mêmes critères qu'au temps où les emplois abondaient. Ils sont donc culpabilisés d'en être démunis, et floués, endormis par des promesses fallacieuses annonçant comme bientôt rétablie cette abondance, et bientôt réparées les conjonctures malmenées par des contretemps.

Il en résulte la marginalisation impitoyable et passive du nombre immense, sans cesse élargi, de « demandeurs d'emploi » qui, ironie, du fait même qu'ils le sont devenus, ont rejoint au contraire une norme contemporaine ; norme qui n'est pas admise comme telle, même par les exclus du travail, au point qu'ils sont les premiers (on y veille) à se trouver incompatibles avec une société dont ils sont pourtant les produits les plus naturels. Ils sont conduits à s'estimer indignes d'elle, et surtout responsables de leur propre situation qu'ils tiennent pour dégradante (puisque dégradée) et même répréhensible. Ils s'accusent de ce dont ils sont les victimes. Ils se jugent avec le regard de ceux qui les jugent, regard qu'ils adoptent, qui les voit coupables, et qui leur fait se demander ensuite quelles incapacités, quelle aptitude au ratage, quelle mauvaise volonté, quelles erreurs ont pu les mener là. Le désaveu les guette, général,

14

malgré l'absurdité de ces accusations. Ils se reprochent – comme on le leur reproche – de vivre une vie de misère ou d'en être menacés. Une vie dès lors souvent « assistée » (au-dessous, d'ailleurs, d'un seuil tolérable).

Ces reproches qui leur sont faits, qu'ils se font, reposent sur nos perceptions décalées de la conjoncture, sur de vieilles opinions autrefois sans fondement, aujourd'hui redondantes et plus pesantes, plus absurdes encore ; sans lien aucun avec le présent. Tout cela – qui n'a rien d'innocent – les conduit à cette honte, à ce sentiment d'être indigne, qui mènent à toutes les soumissions. L'opprobre décourage toute autre réaction de leur part qu'une résignation mortifiée.

Car rien n'affaiblit, ne paralyse comme la honte. Elle altère à la racine, laisse sans ressort, permet toute emprise, réduit ceux qui en souffrent à devenir des proies, d'où l'intérêt des pouvoirs à y avoir recours et à l'imposer ; elle permet de faire la loi sans rencontrer d'opposition, et de la transgresser sans craindre aucune protestation. C'est elle qui crée l'impasse, empêche toute résistance, fait renoncer à toute mise à plat, toute démystification, tout affrontement de la situation. Elle distrait de tout ce qui permettrait de refuser l'opprobre et d'exiger une prise en compte politique du présent. C'est elle encore qui permet l'exploitation de cette résignation, celle aussi de la panique virulente qu'elle contribue à créer.

La honte devrait être cotée en Bourse : elle est un élément important du profit.

Valeur solide, la honte, comme la souffrance qui la provoque ou celle qu'elle suscite. On ne s'étonnera donc pas de l'acharnement inconscient, disons instinctif, mis à reconstituer, à empailler au besoin ce qui est à leur source : un système défunt et qui a fait faillite, mais dont la prolongation artificielle permet d'exercer subrepticement des brimades et des tyrannies de bon aloi, tout en protégeant la « cohésion sociale ».

De ce système surnage cependant une question essentielle, jamais formulée : « Faut-il "mériter" de vivre pour en avoir le droit ? » Une infime minorité, déjà exceptionnellement nantie de pouvoirs, de propriétés et de privilèges avérés comme allant de soi, tient ce droit d'office. Quant au reste de l'humanité, il lui faut, pour « mériter » de vivre, se démontrer « utile » à la société, du moins à ce qui la gère, la domine : l'économie plus que jamais confondue avec les affaires, soit donc l'économie de marché. « Utile » y signifie presque toujours « rentable », c'est-à-dire profitable au profit. En un mot, « employable » (« exploitable » serait de mauvais goût !).

Ce mérite – ce droit à la vie, plutôt – passe donc par le devoir de travailler, d'être employé, qui devient dès lors un droit imprescriptible sans lequel le système social ne serait qu'une vaste affaire d'assassinat.

Mais qu'en est-il du droit de vivre lorsque celui-ci n'opère plus, lorsqu'il est interdit d'accomplir ce devoir qui y donne accès, *lorsque devient impossible ce qui est imposé* ? On sait qu'aujourd'hui sont en permanence obturés ces accès au travail, aux emplois, eux-mêmes forclos de par l'impéritie générale, ou l'intérêt de quelques-uns, ou le sens de l'Histoire – le tout fourré sous le signe de la fatalité. Est-il normal, dès lors, ou même logique, d'imposer ce qui fait absolument défaut ? Est-il seulement *légal*

16

d'exiger ce qui n'existe pas comme condition nécessaire de survie ?

On s'acharne néanmoins à perpétuer ce fiasco. On s'entête à tenir pour la norme un passé révolu, un modèle éventé ; à donner pour sens officiels aux activités économiques, politiques et sociales, cette course aux spectres, cette invention d'ersatz, cette distribution promise et toujours différée de ce qui n'est plus ; on continue de prétendre qu'il n'y a pas impasse, qu'il s'agit seulement de traverser les quelques suites fâcheuses et passagères de gaffes réparables.

Quelle imposture ! Tant de destins massacrés à seule fin d'édifier l'effigie d'une société disparue, fondée sur le travail et non sur son absence ; tant d'existences sacrifiées au caractère fictif de l'adversaire que l'on promet d'abattre, aux phénomènes chimériques que l'on prétend vouloir réduire et pouvoir juguler !

Allons-nous longtemps accepter d'être dupes et de tenir pour seuls ennemis ceux qui nous sont désignés : des adversaires disparus ? Demeurerons-nous aveugles au péril en cours, aux écueils véritables ? Le navire a déjà fait naufrage, mais nous préférons (on nous y encourage) ne pas l'admettre et rester à son bord, couler à l'abri d'un décor familier plutôt que de tenter, peut-être en vain, quelque mode de sauvetage.

Ainsi poursuivons-nous de bien étranges routines ! On ne sait s'il est risible ou bien sinistre, lors d'une perpétuelle, indéracinable et croissante pénurie d'emplois, d'imposer à chacun des chômeurs décomptés par millions – et ce, chaque jour ouvrable de chaque semaine, chaque mois, chaque année – la recherche « effective et permanente » de ce travail qu'il n'y a pas. De l'obliger à passer des heures, pendant des jours, des semaines, des mois et parfois des années, à *se* proposer chaque jour, chaque semaine, chaque mois, chaque année, en vain, barré d'avance par les statistiques. Car enfin, se faire évincer chaque jour ouvrable de chaque semaine, chaque mois et parfois chaque année, cela constituerait-il un emploi, un métier, une profession ? Serait-ce une situation, un *job* ou même un apprentissage ? Est-ce un destin plausible ? une occupation bien raisonnable ? un emploi du temps vraiment recommandable[1] ?

Cela ressemble plutôt à une démonstration tendant à prouver que les rites du travail se perpétuent, que les intéressés s'y intéressent, portés par un optimisme réconfortant à se ranger dans les files d'attente qui ornent ces guichets de l'ANPE (ou autres organismes), derrière lesquels s'amoncelleraient des virtualités d'emplois bizarrement et provisoirement déviés par des courants adverses ! Tandis que seul subsiste le manque produit par sa disparition...

A coup de refus, de rejets en chaîne, n'est-ce pas là surtout une mise en scène destinée à persuader ces « demandeurs » de leur néant ? A inculquer au public l'image de leur déconfiture et à propager l'idée (fausse) de la responsabilité, coupable et châtiée, de ceux-là mêmes qui paient l'erreur générale ou la décision de quelques-uns, l'aveuglement de tous, le leur inclus ? A donner en spectacle leur *mea culpa* auquel, d'ailleurs, ils adhèrent ? Vaincus.

Autant de vies acculées, ligotées, tabassées et qui se délitent, tangentes à une société qui se rétracte.

---

1. Y a-t-il bien formation, projet d'avenir dans ces petites saynètes censées mimer une « participation au monde du travail », une approche de l'entrée des cathédrales « entreprises » et qui obligent le plus souvent à de vagues tâches souspayées quelques RMIstes ou quelques jeunes éloignés un temps des statistiques, cauchemars des gouvernements ?

Entre ces dépossédés et leurs contemporains se dresse comme une vitre de moins en moins transparente. Et parce qu'ils sont de moins en moins aperçus, parce qu'on les rêve encore plus effacés, gommés, escamotés de cette société, on les en dit *exclus*. Ils y sont, au contraire, vissés, incarcérés, *inclus* jusqu'à la moelle ! Ils y sont absorbés, bouffés, relégués à jamais, déportés sur place, répudiés sur place, bannis, soumis et déchus, mais si embarrassants : des gêneurs ! Jamais tout à fait, non, jamais assez expulsés ! Inclus, trop inclus, et dans le désaveu.

On ne prépare pas autrement une société d'esclaves auxquels l'esclavage seul conférerait un statut. Mais à quoi bon même s'embarrasser d'esclaves si leur labeur est superflu ? Alors, comme en écho à la question qui « surnageait » plus haut, en naît une autre que l'on craint d'entendre : est-il « utile » de vivre si l'on n'est pas profitable au profit ?

Ici perce peut-être l'ombre, l'annonce ou la trace d'un crime. Ce n'est pas rien, toute une « population » (dans le sens goûté des sociologues) conduite en douce et par une société lucide, sophistiquée, aux extrémités du vertige, de la fragilité : aux frontières de la mort, et au-delà parfois. Ce n'est pas rien non plus d'amener à quêter, à mendier un travail, et n'importe lequel et à tout prix (c'est-à-dire au moindre), ceux-là mêmes que, le plus souvent, il asservirait. Et si tous ne s'adonnent pas corps et âme à le solliciter en vain, l'opinion générale est qu'ils le devraient.

Ce n'est pas rien encore, pour ceux qui détiennent le pouvoir économique, c'est-à-dire le pouvoir, d'avoir à leur botte ces trublions qui hier contestaient, revendiquaient, combattaient. Quelle douceur de les voir implorer afin d'obtenir ce qu'ils vilipendaient et tiennent aujourd'hui pour le Graal. Et ce n'est pas rien non plus de tenir à merci les autres, qui, pourvus de salaires, de situations, ne broncheront guère, trop inquiets de perdre des acquis si rares, si précieux et précaires, et d'avoir à rejoindre la cohorte poreuse des « misérés ».

A voir comment on prend, comment on jette des hommes et des femmes en fonction d'un marché du travail erratique, de plus en plus imaginaire, comparable à la « peau de chagrin », un marché dont ils dépendent, dont leurs vies dépendent mais qui ne dépend pas d'eux ; à voir comment déjà, si souvent, on ne les prend plus, on ne les prendra pas, et comme ils végètent alors, jeunes en particulier, dans une vacuité sans bornes, donnée pour dégradante, et comme on leur en veut de cela ; à voir comment, à partir de là, la vie les maltraite et comme on l'aide à les maltraiter ; à voir qu'au-delà de l'exploitation des hommes, il y avait pire : l'absence de toute exploitation –, comment ne pas se dire que, non exploitables, pas même exploitables, plus du tout nécessaires à l'exploitation, elle-même inutile, les foules peuvent trembler, et chacun dans la foule ?

Alors, en écho à la question : « Est-il "utile" de vivre si l'on n'est pas profitable au profit ? », elle-même écho d'une autre : « Faut-il "mériter" de vivre pour en avoir le droit ? », sourd la crainte insidieuse, l'effroi diffus, mais justifié, de voir des êtres humains en grand nombre, ou même de voir le plus grand nombre tenus pour superflus. Non pas subalternes ni même réprouvés : superflus. Et par là nocifs. Et par là...

Ce verdict n'est pas prononcé encore, il n'est pas énoncé ni même, sans doute, pensé consciemment. Nous sommes en démocratie. Pour l'ensemble de la population, cet *ensemble* même est encore l'objet d'un intérêt réel, lié à ses cultures, à des affects profonds, acquis ou spontanés, même si une indifférence croissante s'instaure à l'égard des vivants. Cet *ensemble* représente aussi, n'allons pas l'oublier, une clientèle électorale et consommatrice qui génère une autre sorte d'«intérêt» et porte les politiciens à se mobiliser autour des problèmes du «travail» et du «chômage», devenus des questions de routine, à officialiser ces faux problèmes, du moins ces problèmes mal posés, à occulter tout constat et à fournir à court terme toujours les mêmes réponses anémiques à des questions factices. Non qu'il faille – et de loin pas ! – les exempter de trouver des solutions même partielles, même précaires. Mais leurs bricolages ont surtout pour effet de maintenir des systèmes qui s'essoufflent à faire semblant de fonctionner, même mal, et surtout à permettre de reconduire des jeux de pouvoirs et de hiérarchies eux-mêmes dépassés.

Notre vieille expérience de ces routines nous donne l'illusion d'une sorte de maîtrise sur elles et leur confère ainsi un air d'innocence, les laisse empreintes d'un certain humanisme, les encadre, surtout, de frontières légales comme d'autant de garde-fous. Nous sommes bien en démocratie. Pourtant, ce qui menace est sur le bord d'être dit, c'est déjà presque murmuré : «Superflus...»

Et s'il nous arrivait de n'être plus en démocratie ? Cet «excès» (qui n'ira qu'augmentant) ne risquerait-il pas d'être alors formulé ? «Prononcé» et, ainsi, consacré ? Qu'adviendrait-il si le «mérite» dont dépendrait plus que jamais le droit de vivre, et ce droit de vivre lui-même, étaient interrogés, gérés par un régime autoritaire ?

Nous n'ignorons plus, nous ne pouvons prétendre

ignorer qu'à l'horreur il n'est rien d'impossible, qu'il n'y a pas de limites aux décisions humaines. De l'exploitation à l'exclusion, de l'exclusion à l'élimination, voire à des exploitations désastreuses inédites, est-ce là un scénario impensable ? Nous savons d'expérience que la barbarie, toujours latente, se conjugue le mieux du monde avec la placidité de ces majorités qui savent si bien amalgamer le pire à la fadeur ambiante.

On le voit, face à certains dangers, virtuels ou non, c'est bien encore le système fondé sur le travail (même réduit à l'état d'ombre) qui fait figure de rempart, ce qui justifie peut-être nos attachements régressifs à ses normes qui n'ont plus cours. Mais ce système n'en repose pas moins sur des bases vermoulues, plus poreuses que jamais à toutes les violences, toutes les perversités. Ses routines, en apparence capables de tempérer le pire, de le retarder, tournent à vide et nous maintiennent assoupis dans ce que j'appelais ailleurs la « *violence du calme* [1] ». C'est la plus périlleuse, celle qui permet à toutes les autres de se déchaîner sans obstacle ; elle provient d'un faisceau de contraintes issues d'une longue, terriblement longue tradition de lois clandestines. « Le calme des individus, des sociétés s'obtient par l'exercice de forces coercitives anciennes, sous-jacentes, d'une violence telle, si efficace qu'elle passe inaperçue » et qu'à la limite elle n'est plus nécessaire, tant elle est intégrée ; ces forces nous astreignent sans plus avoir à se manifester. N'apparaît que le calme auquel nous sommes réduits avant même d'être nés. Cette violence-là, tapie dans le calme qu'elle a institué, se poursuit et agit, indétectable. Elle veille, entre autres,

---

1. Viviane Forrester, *La Violence du calme,* Seuil, 1980.

sur les scandales qu'elle dissimule, les imposant d'autant mieux et parvenant à susciter une résignation générale telle que l'on ne discerne même plus ce à quoi l'on s'est résigné : elle en a si bien négocié l'oubli !

Il n'y a d'arme contre elle que l'exactitude, la froideur du constat. Plus spectaculaire, la critique est moins radicale, car elle entre dans le jeu proposé et prend en compte ses règles que, dès lors, elle cautionne, fût-ce en s'y opposant. Or il se trouve que « déjouer » représente, au contraire, le mot clef. Déjouer l'immense et fiévreuse partie planétaire dont on ne sait jamais très bien quels sont les enjeux ni quel spectacle on nous en donne (ou qui nous le donne), derrière lequel un autre se jouerait.

A ces fins de constat, on ne peut jamais assez mettre en doute jusqu'à l'existence des problèmes, ni mettre assez en cause leurs termes, en question les questions. En particulier lorsque ces problèmes impliquent les concepts de « travail », de « chômage » autour desquels se chantent les mélopées politiciennes de tous bords et se déclinent ces kyrielles de solutions futiles, bâclées, rabâchées, dont on sait qu'elles sont inefficaces, qu'elles n'entament pas le malheur amassé, qu'elles ne le visent même pas.

Ainsi – et c'est là l'exemple majeur –, les textes, les discours qui analysent ces problèmes, ceux du travail et, par là, du chômage, ne traitent en vérité que du profit qui est à leur base, qui est leur matrice, mais qu'ils ne mentionnent jamais. Si le profit demeure en ces zones calcinées le grand ordonnateur, il est pourtant tenu secret. Il persiste en amont, présupposé si évident qu'il est tu. Tout est organisé, prévu, empêché, suscité en fonction de lui, qui semble dès lors incontournable, comme fusionné au grain même de la vie, au point que nous ne le distinguons plus d'elle. Il opère au vu de tous, mais inaperçu. Il est partout propagé, actif, mais jamais cité, si ce n'est sous la forme de ces pudiques « créations de richesses » censées bénéficier aussitôt à toute l'espèce humaine et recéler des trésors d'emplois.

Toucher à ces richesses serait donc criminel. Il faut à tout prix les préserver, ne pas les discuter, oublier (ou faire semblant d'oublier) qu'elles avantagent toujours le même petit nombre, chaque fois plus puissant, plus capable d'imposer ce profit (qui lui revient) comme seule logique, comme la substance même de l'existence, le pivot de la civilisation, le gage de toute démocratie, le mobile (fixe) de toute mobilité, le centre nerveux de toute circulation, le moteur invisible et inaudible, intouchable, de nos animations.

La priorité va donc au profit, tenu pour originel, une sorte de *big bang*. C'est seulement une fois garantie et déduite la part des affaires – celle de l'économie de marché – que sont (de moins en moins) pris en compte les autres secteurs, dont ceux de la cité. Le profit d'abord, en fonction duquel tout est institué. C'est ensuite seulement que l'on se débrouille avec les miettes de ces fameuses « créations de richesses » sans lesquelles, nous fait-on entendre, il n'y aurait rien, pas même ces miettes qui d'ailleurs vont diminuant – ni aucune ou presque aucune autre réserve de travail, de ressources.

« Dieu garde de ne pas tuer la poule aux œufs d'or ! », disait ma vieille nounou qui enchaînait sur la nécessité qu'existent des riches et des pauvres : « Des riches, il en faudra toujours. Sans eux, tu peux me dire comment feraient les pauvres ? » Une vraie politique, nounou Beppa, une grande philosophe ! Elle avait tout compris.

La preuve : nous sommes là, qui écoutons encore, sourds à ce qu'elles trament, les minauderies mensongères de ces pouvoirs que nounou vénérait. Pouvoirs qui, d'ailleurs, minaudent et mentent de moins en moins, tant ils semblent avoir asséné leurs postulats, inculqué leur credo aux masses planétaires ainsi anesthésiées. A quoi bon l'énergie dépensée aux fins de persuader ceux qu'une longue propagande a déjà, sinon convaincus, du moins désarmés ?

Propagande efficace et qui a su récupérer, ce n'est pas anodin, nombre de termes positifs, séducteurs, qu'elle a judicieusement accaparés, détournés, assujettis. Voyez ce marché *libre* de faire du profit ; ces plans *sociaux* chargés, en fait, de chasser de leur travail, et aux moindres frais, des hommes et des femmes dès lors privés de moyens de vivre et parfois d'un toit ; l'Etat-*providence*, alors qu'il fait mine de réparer timidement des injustices flagrantes, souvent inhumaines. Et, parmi tant d'autres expressions, ces *assistés* qui se doivent d'être humiliés de leur état (et qui le sont), alors que ne sera pas tenu pour « assisté », et du berceau à la tombe, un héritier.

Anodin ?

Nous n'entendons même plus le glas de certains mots. Si ceux de « travail » et, par là, de « chômage » s'incrustent, vidés du sens qu'ils semblent véhiculer, c'est qu'ils servent, de par leur caractère sacré, intimidant, à préserver un reste d'organisation caduque, certes, mais susceptible de sauvegarder, un temps, la « cohésion sociale » malgré la « fracture » du même nom – on voit que la langue, tout de même, s'enrichit !

Combien d'autres termes baignent en revanche dans les charmes de la désuétude : « profit », certes, mais aussi, par exemple, « prolétariat », « capitalisme »,

« exploitation », ou encore ces « classes » désormais imperméables à toute « lutte » ! Employer ces archaïsmes serait faire preuve d'héroïsme. Qui accepterait d'entrer résolument dans le rôle du ringard illuminé, du niais désinformé, du plouc branché sur des données à peu près aussi contemporaines que la chasse à l'auroch ? Qui apprécierait d'avoir droit aux sourcils non pas froncés par la fureur, mais soulevés par une stupéfaction incrédule mêlée de douce compassion ? « Vous ne voulez tout de même pas dire... Vous n'en êtes pas encore à... Le mur de Berlin est tombé, savez-vous ? Alors, l'URSS, vraiment, vous avez apprécié ? Staline ? Mais la liberté, le marché libre... non ? » Et, face à cet attardé, *kitsch* au point d'attendrir, un sourire désarmé.

Pourtant, leur contenu réclame ces mots mis à l'index et sans lesquels, inexprimé, jamais constaté, ce qu'ils recouvrent est reconduit sans fin. Châtré de ces vocables, comment le langage peut-il rendre compte de l'Histoire qui, elle, en est lourde et continue de les charrier, muets ?

Parce qu'une entreprise totalitaire monstrueuse en faisait usage et même la promotion, nous sont-ils interdits, ont-ils perdu leur sens ? Sommes-nous sous influence au point de rejeter d'autorité, mécaniquement, ce que d'autres absorbaient d'autorité, mécaniquement aussi ? L'autorité, la mécanique, dès lors seules reconduites ? Le stalinisme aura-t-il ainsi tout éradiqué, même à partir de son absence, continuant par l'absurde à n'autoriser que le silence des intercesseurs, des arbitres, des interprètes, mais aussi des interlocuteurs espérés ? Le laisserons-nous déterminer ces mutismes, ces ablations qui, au sein de la langue, mutilent la pensée ? Il est évident que l'autorité du discours lacunaire, organisé autour de ses lacunes, interdit toute analyse, toute réflexion sérieuse – à plus forte raison toute réfutation de ce qui n'est pas dit, mais qui s'exerce.

Si les vocabulaires, outils de pensées capables d'exprimer l'événement, sont non seulement gravement soupçonnés, mais décrétés vides de sens, et si, contre eux, joue la plus efficace des menaces, celle du ridicule, quelle arme reste-t-il, quels alliés à ceux que seul un constat très strict de la situation sauverait non pas tant de la misère ou de vivre outragés, que d'en avoir honte et d'être oubliés vivants ?

Comment en sommes-nous venus à ces amnésies, à cette mémoire laconique, à cet oubli du présent ? Qu'est-il arrivé pour qu'aujourd'hui sévissent une telle impuissance des uns, une telle domination des autres ? un tel acquiescement de tous à l'une comme à l'autre ? un tel hiatus ? Aucune lutte, hormis celle qui revendique toujours plus d'espace pour une économie de marché sinon triomphante, du moins omnipotente et qui, certes, a ses logiques, mais auxquelles ne se confronte plus aucune autre logique. Toutes semblent participer du même champ, tenir l'état actuel des choses pour leur état naturel, pour le point même où l'Histoire nous aurait attendus.

Aucun appui ne subsiste pour ceux qui n'ont rien que la perte. L'autre discours seul assourdit. Quelque chose plane, de totalitaire. De terrifiant. Et pour seuls commentaires ceux de M. Homais, plus sempiternel, officiel, solennel et pluriel que jamais. Ses monologues. Le poison qu'il détient.

Tandis que M. Homais triomphe et soliloque sans personne pour le contester ou même lui répondre, faute d'un langage adéquat, nous n'avons guère perçu que nous demeurions seuls à psalmodier en chœur avec lui, entre figurants. La plupart des vrais acteurs, les rôles prépondérants, ont à notre insu déserté, emportant le scénario. Nous parlons d'eux à propos du travail, de son absence, comme s'ils étaient, eux, encore présents et toujours nos pareils, même au sein d'une hiérarchie dont ils occuperaient les sommets.

Il n'en est rien. Il n'en sera plus rien.

Alors que s'éloignaient, se distanciaient les territoires du travail et, plus encore, ceux de l'économie, ils les ont accompagnés et sont devenus, comme eux, avec eux, à peine discernables, de plus en plus impalpables. Ils seront bientôt – s'ils ne le sont déjà – hors de portée, hors d'atteinte, perdus de vue. Et nous, toujours à piétiner dans les mêmes décors.

C'est qu'à nos yeux le travail est encore lié à l'âge industriel, au capitalisme d'ordre immobilier. A ce temps où le capital exposait des garanties notoires :

usines bien implantées, lieux très repérables : fabriques, mines, banques, immeubles enracinés dans nos paysages, inscrits sur des cadastres. Nous croyons vivre encore à l'âge où l'on pouvait estimer leur superficie, juger leurs emplacements, évaluer leur coût. Les fortunes se trouvaient enfermées dans des coffres. Les échanges passaient par des circuits vérifiables. Patrons aux états civils bien définis ; directeurs, employés, ouvriers se déplaçant d'un point à l'autre, se croisant sur du sol. On savait où et qui étaient les dirigeants, qui profitait du profit. Il y avait souvent à la tête un seul homme plus ou moins puissant, plus ou moins compétent, plus ou moins tyrannique, plus ou moins prospère, qui possédait du bien, maniait de la monnaie. L'entreprise, il en était propriétaire (avec ou non des associés tout aussi repérables). Un individu tangible, nommé, de chair et d'os, qui avait des héritiers et, presque toujours, en était un. On pouvait évaluer du regard l'importance de l'entreprise, on savait où le labeur avait lieu, nécessaire, comme on savait où se produisait (souvent dans des conditions scandaleuses) à la fois la « condition ouvrière » et les fameuses « créations de richesses », alors nommées « bénéfices ». Les produits manufacturés (des marchandises), la négociation, la circulation des matières premières avaient une importance essentielle, et l'entreprise une raison sociale, une fonction connues. Dira-t-on certifiées ? Il était possible d'en cerner les configurations, même internationales, et de faire la part du commerce, celle de l'industrie, celle des jeux financiers. On savait éventuellement qui et quoi contester, et situer ainsi les lieux de la contestation. Cela se passait parmi nous, dans nos géographies, à des rythmes familiers, même lorsqu'ils étaient excessifs. Et cela s'énonçait dans nos langues, dans notre langage. Nous vivions une répartition des rôles souvent désastreuse, mais nous la vivions tous au sein d'un même roman.

Or ce monde où les lieux de travail et ceux de l'économie fusionnaient, où le travail d'exécutants en grand nombre était indispensable aux décideurs, est comme escamoté. Nous croyons encore le parcourir, y respirer, lui obéir ou le maîtriser alors qu'il n'opère plus, ou bien « pour du beurre », comme disent les enfants, et sous le contrôle des forces véritables qui, discrètement, le régissent et gèrent son naufrage.

Escamotés avec lui, les modèles intermédiaires qui lui ont peu à peu succédé, faisant transition avec le monde actuel, celui des multinationales, des transnationales, du libéralisme absolu, de la globalisation, de la mondialisation, de la déréglementation, de la virtualité. Tout au plus les retrouve-t-on, ces modèles, devenus tout à fait subalternes, en voie de disparition et presque toujours déjà sous la coupe de puissances distantes et compliquées.

Quant au monde inédit qui s'installe sous le signe de la cybernétique, de l'automation, des technologies révolutionnaires, et qui exerce désormais le pouvoir, il semble s'être esquivé, retranché en des zones étanches, quasi ésotériques. Il ne nous est plus synchrone. Et, bien entendu, il est sans lien véritable avec le « monde du travail » dont il n'a plus l'usage et qu'il tient, lorsqu'il lui arrive de l'entrevoir, pour un parasite agaçant signalé par son pathos, ses tracas, ses désastres encombrants, son entêtement irrationnel à prétendre exister. Son peu d'utilité. Son peu de résistance, son caractère bénin. Ses renoncements et son innocuité, enfermé qu'il est dans les vestiges d'une société où ses rôles sont abolis. Entre ces deux univers, rien qu'une solution de continuité. L'ancien périclite et souffre à l'écart de l'autre, qu'il n'imagine même pas. L'autre, réservé à une caste, pénètre un ordre inédit de « réalité » ou, si l'on préfère, de déréalité, où la horde des « demandeurs d'emploi » ne représente qu'une blême cohorte de revenants qui ne reviendront pas.

Pourquoi cette caste tiendrait-elle compte des foules d'inconscients qui insistent, maniaques, pour occuper des périmètres concrets, établis, situés, où taper sur des clous, visser des vis, porter des machins, classer des choses, calculer des trucs, se mêler de tout, jouer les mouches du coche, avec des circuits lents à la mesure du corps, des efforts patents, des chronologies et des tempos déjà passés aux oubliettes et puis leurs vies, leurs enfants, leur santé, leurs logements, leurs nourritures, leurs rémunérations, leurs sexes, leurs maladies, leurs loisirs, leurs droits ?

Quels naïfs ! Ceux dont ils attendent tout, c'est-à-dire un emploi, ne sont déjà plus abordables. Ils s'activent en d'autres sphères à faire jaillir du virtuel, à combiner, sous forme de « produits dérivés », des valeurs financières que ne sous-tendent plus des actifs réels et qui, volatiles, invérifiables, sont souvent négociées, raflées, converties avant même d'avoir existé.

Les décideurs de notre temps sont devenus ce que Robert Reich appelle des « manipulateurs de symboles » ou, si l'on préfère, des « analystes de symboles [1] », qui ne communiquent pas, ou fort peu, même avec l'ancien monde des « patrons ». Qu'en auraient-ils à faire, de tous ces « employés » si coûteux, inscrits à la Sécurité sociale, si incertains et contrariants en regard des machines pures et dures, ignorées de toute protection sociale, par essence manœuvrables, économiques en sus et dénuées d'émotions douteuses, de plaintes agressives, de désirs dangereux ? Machines qui

---

1. Robert Reich, *L'Économie mondialisée,* Dunod, 1993.

ouvrent à un autre âge, lequel est peut-être aussi le nôtre, mais sans que nous en ayons l'accès.

Il s'agit là d'un monde qui vit, du fait de la cybernétique, des technologies de pointe, à la vitesse de l'immédiat ; d'un monde où la vitesse se confond avec l'immédiat en des espaces sans interstices. L'ubiquité, la simultanéité y font loi. Ceux qui s'y activent ne partagent avec nous ni cet espace, ni la vitesse ou le temps. Ni les projets, ni la langue, encore moins la pensée. Ni les chiffres ou les nombres. Ni, surtout, le souci. Ni, d'ailleurs, la monnaie.

Ils ne sont pas féroces, ni même indifférents. Ils sont insaisissables et se souviennent de nous comme de vagues parents pauvres laissés là-bas dans le passé, dans le monde pesant du travail, dans ce monde des « emplois ». Nous croisent-ils ? Pas fiers, ils nous font signe depuis leur monde de signes, et retournent jouer entre eux à des jeux passionnants qui conditionnent cette planète dont ils finissent par ignorer qu'elle existe ailleurs que sur leurs réseaux. Ils gouvernent l'économie mondialisée par-dessus toutes frontières et tous gouvernements. Les pays font pour eux figure de municipalités.

Et dans cet empire-là – on croit rêver ! – de pauvres bougres de travailleurs s'imaginent encore pouvoir caser leur « marché de l'emploi » ! On en pleurerait de rire. Il leur suffisait autrefois de se tenir à leur place. Il va leur falloir apprendre à n'en tenir aucune, et c'est bien là le message qui leur est, mais très discrètement encore, insinué. Celui que l'on ne veut, que l'on n'ose décrypter dans la crainte d'imaginer ses conséquences possibles.

La pente suivie est bien celle-là, néanmoins. Une quantité majeure d'êtres humains n'est déjà plus nécessaire au petit nombre qui, façonnant l'économie, détient le pouvoir. Des êtres humains en foules se retrouvent ainsi, selon les logiques régnantes, sans raison raisonnable de vivre en ce monde où pourtant ils sont advenus à la vie [1].

Pour obtenir la faculté de vivre, pour en avoir les moyens, il leur faudrait répondre aux besoins des réseaux qui régissent la planète, ceux des marchés. Or ils n'y répondent pas – ou plutôt les marchés ne répondent plus à leur présence et n'ont point besoin d'eux. Ou de très peu et de moins en moins d'entre eux. Leur vie n'est donc plus « légitime », mais tolérée. Importune, leur place en ce monde leur est consentie par pure mansuétude, par sentimentalisme, par des réflexes antiques, par référence à ce qui fut tenu si longtemps pour sacré, (théoriquement, tout au moins). Par la peur du scandale. Par les avantages que les marchés peuvent encore en tirer. Par les jeux politiques, par les enjeux électoraux fondés sur l'imposture qui voudrait que soit en cours une « crise » provisoire que chaque camp prétend pouvoir colmater.

Et puis, un certain blocage atavique des consciences prévient d'accepter d'emblée une telle implosion. Il est difficile d'admettre, impensable de déclarer que la présence d'une multitude d'humains devient précaire, non du fait que la mort est inéluctable, mais du fait que, de leur vivant, leur présence ne correspond plus aux logiques régnantes, puisqu'elle ne rapporte plus, mais se révèle au contraire coûteuse, trop coûteuse. Nul n'osera déclarer, en démocratie, que la vie n'est pas un droit, qu'une multitude de vivants est en

---

1. Des foules sur d'autres continents vivent cette absence de statut. Leur avenir semblait devoir les faire se rapprocher des conditions de vie occidentales. Reste à voir si, sur la planète entière, le grand nombre ne devra pas plutôt s'aligner sur eux.

nombre excédentaire. Mais, sous un régime totalitaire, ne l'oserait-on pas ? Ne l'a-t-on pas osé déjà ? Et n'en admettons-nous pas déjà le principe, tout en le déplorant, lorsqu'à des distances équivalentes à celles de nos lieux de vacances, la famine décime des populations ?

Les privations subies aujourd'hui par des individus en nombre considérable et qui va grandissant, risquent de n'être que des préalables au rejet (qui peut devenir radical) de ceux qui les endurent ; elles n'ont pas vocation à s'affaiblir et décroître, comme le prétendent sans conviction les discours politiques énoncés et non agis, mais à affaiblir davantage et au moins écarter ceux qui en sont les proies. Le discours économique (agi, lui, mais non énoncé) va dans ce sens : les masses sont ici de vagues abstractions et l'on ne se soucie guère des disparités, si ce n'est pour gérer au plus bas les quelques faibles acquis des éléments les plus fragiles, bientôt exclus, autrement dit inclus plus avant dans la dépossession.

S'il n'y a plus grand place et si ce peu de place va rétrécissant du fait que le travail disparaît – travail sur lequel pourtant la société se fonde encore et dont dépend toujours la survie des vivants –, cette disparition ne gêne en rien les vrais pouvoirs, ceux de l'économie de marché. Mais la misère causée par cette disparition n'est pas non plus leur but. Ils la rencontrent plutôt comme un inconvénient placé sur leur chemin et dont, tant qu'à faire, on peut tirer parti – on sait que la misère profite souvent au profit. Ce qui leur importe et laisse dans l'ombre tous autres phénomènes, ce sont les masses monétaires, les jeux financiers – ces spéculations, ces transactions inédites, ces flux impalpables, cette réalité virtuelle, aujourd'hui plus influente qu'aucune.

Or, force est de constater que, de leur part, ce n'est

là que raison. Cette conjoncture et ces phénomènes correspondent absolument à leur vocation, à leurs devoirs professionnels et même à leur sens de l'éthique. Et puis, la passion si grisante, si humaine, trop humaine, du pouvoir et du gain trouve ici à la fois ses sources et les territoires où s'exalter, irrésistible, dévorante et dévoratrice. Ceux qui participent de cette puissance trouvent dans ce contexte leurs rôles naturels. Le drame tient surtout à ce que les autres rôles gisent abandonnés.

Une longue histoire, très longue et très patiente, souterraine et secrète, menée dans l'ombre, a dû provoquer l'abandon de ces rôles. Démissions qui ont facilité l'hégémonie d'une économie privée devenue anonyme et que des fusions massives, à l'échelle planétaire, ont regroupée en réseaux enchevêtrés, inextricables mais si mobiles, d'une ubiquité telle qu'ils ne sont plus guère repérables, échappant ainsi à tout ce qui pourrait les contraindre, les surveiller ou même les observer.

Il faudra entreprendre un jour l'étude de ce phénomène, établir l'histoire clandestine de cette évolution imperceptible et pourtant radicale.

Ce que l'on peut mesurer aujourd'hui, c'est l'ampleur de la progression des puissances privées, due pour beaucoup à celle des prodigieux réseaux de communication, d'échanges instantanés, aux facteurs d'ubiquité qui en dérivent et dont, les premières, elles ont su disposer, qu'elles ont exploités les premières, abolissant ainsi les distances et le temps – ce qui n'est pas rien ! – à leur propre profit.

Démultiplication vertigineuse de la quantité de valeurs tous azimuts qu'elles peuvent embrasser, dominer, combiner, dupliquer sans se préoccuper des lois et des contraintes qu'elles sont à même, dans un contexte ainsi mondialisé, de contourner facilement.

Sans se préoccuper beaucoup des États, souvent si démunis, comparés à elles, et empêtrés, jugés, contestés, mis sur la sellette tandis qu'elles foncent, plus libres, plus motivées, plus mobiles, infiniment plus influentes qu'eux, sans soucis électoraux, sans responsabilités politiques, sans contrôles et, bien entendu, sans états d'âme attachés à ceux qu'elles écrasent, auxquels elles laissent à d'autres le soin de démontrer que c'est pour leur bien – et pour celui de tous, puisque le bien de tous passe, cela va de soi, par leurs propres « biens ».

Elles chevauchent les instances politiques et n'ont à tenir compte d'aucune éthique poussive, d'aucun sentiment. A la limite, dans les plus hautes de leurs sphères, là où le jeu devient impondérable, elles n'ont plus à répondre de réussites ou d'échecs, et n'ont d'autres enjeux qu'elles-mêmes et que ces transactions, ces spéculations reconduites sans fin, sans plus d'autre but que leur propre mouvement.

Elles ne rencontrent d'autres obstacles que ceux, féroces, dressés par leurs pairs. Mais ces derniers suivent la même voie qu'elles, vers les mêmes buts, et si certains d'entre eux tentent d'atteindre quelques-uns de ces buts avant les autres ou à leur place, cela n'altère en rien le système général. Leur concurrence effrénée, à l'intérieur de réseaux si complexes, les soude, en vérité, aiguisant leur énergie axée vers les mêmes fins, au sein d'une idéologie commune, jamais formulée, jamais avouée : agie.

Ces réseaux économiques privés, transnationaux, dominent donc de plus en plus les pouvoirs étatiques ; loin d'être contrôlés par eux, ils les contrôlent et forment, en somme, une sorte de nation qui, hors de tout sol, de toute institution gouvernementale, commande sans cesse davantage les institutions des divers pays, leurs politiques, souvent par le biais d'organisations considérables comme la Banque mondiale, le FMI[1] ou l'OCDE[2].

Un exemple : les puissances économiques privées détiennent souvent la maîtrise des dettes des États qui, de ce fait, dépendent d'elles et qu'elles tiennent sous leur coupe. Ces États n'hésitent pas à convertir les dettes de leurs protecteurs en dettes publiques, qu'ils prennent donc à leur charge. Elles seront dès lors honorées, sans compensation aucune, par l'ensemble des citoyens. Ironie : recyclées dans le secteur public, ces dettes du secteur privé augmentent d'autant la dette qui incombe aux États, mettant ces derniers davantage encore sous la tutelle de l'économie privée. Laquelle, prise en charge ici (comme souvent) par l'État, donc par la communauté, n'est jamais, pour autant, traitée... d'« assistée » !

Voici donc l'économie privée lâchée comme jamais en toute liberté – cette liberté qu'elle a tant revendiquée et qui se traduit en déréglementations légalisées, en anarchie officielle. Liberté assortie de tous les droits, de toutes les permissivités. Débridée, elle sature de ses logiques une civilisation qui s'achève et dont elle active le naufrage.

Naufrage camouflé, mis au compte de « crises » temporaires afin que passe inaperçue une nouvelle forme de civilisation qui déjà point, où seul un très faible pourcentage de la population terrestre trouvera des fonctions. Or, de ces fonctions dépendent les

---

1. Fonds monétaire international.
2. Organisation de coopération et de développement économiques.

38

modes de vie de chacun mais, plus encore, pour chacun, la faculté de vivre. La prolongation ou non de son destin.

Selon l'usage séculaire joue là un principe fondamental : pour un individu sans fonction, pas de place, plus d'accès évident à la vie, du moins à sa poursuite. Or les fonctions disparaissent aujourd'hui irrévocablement, mais ce principe perdure, alors qu'il ne pourra plus, désormais, organiser les sociétés, mais seulement détruire le statut des humains, détériorer des vies ou même les décimer.

Nul n'a l'audace d'admettre ni d'envisager, moins encore de mentionner un tel péril. Omission d'une gravité majeure, à la lettre vitale – ou mortelle – car personne n'affronte alors la menace occultée, nul ne s'y oppose ni n'essaie d'inverser le courant, moins encore de repérer, d'exposer le credo qui agence ces virtualités sinistres. Nul ne suggère de tenter une gestion lucide qui offrirait peut-être une place à chacun, mais dans un jeu reconnu différent. Au lieu que l'on enterre vifs, avec lui, ceux qui dépendent d'un système défunt. Pathos, désastre qui pourraient être évités, et peut-être même sans nuire aux acteurs, aux profiteurs du credo !

Credo jamais énoncé, mais qu'il serait cependant impie de contester. Le doute est impliqué dans la foi, mais interdit dans le diktat économique. Se risque-t-on à murmurer quelques timides réserves, à faire part d'un certain vertige face à l'hégémonie d'une économie mondialisée abstraite, inhumaine ? On a tôt fait de vous clouer le bec avec les dogmes de cette même hégémonie où, soyons réalistes, nous nous trouvons piégés. On a tôt fait de vous opposer les lois de la concurrence, de la compétitivité, l'ajustement aux règles économiques internationales – qui sont celles du dérèglement – et de vous chanter les louanges de la flexibilité du travail. Gardez-vous alors d'insinuer que le travail, par là, se voit soumis plus que jamais au bon plaisir de la spéculation, à celui des décideurs d'un monde tenu d'être à *tous* les niveaux rentable, un monde réduit à n'être dans son entier qu'une vaste entreprise – pas forcément menée, d'ailleurs, par des responsables compétents. D'aucuns diraient : un vaste casino. On aura tôt fait de vous opposer et de vous imposer le respect des lois mystérieuses, plus ou moins clandestines, de la compétitivité, et de couronner le tout de chantages à la délocalisation des entreprises et des investissements, au transfert plus ou moins légal des capitaux, événements qui, du reste, ont lieu de toute façon.

Le chantage, en somme, au piège resserré.

Ces discours, ces menaces assénés sur des groupes affaiblis, dont on réduit plus ou moins subrepticement les capacités critiques et la lucidité, rencontrent sinon l'assentiment, du moins, sous forme de mutisme, le consentement des corps sociaux tétanisés.

Mais nous sommes sourds à ce silence, lequel devient le meilleur complice de l'expansion des affaires qui sature la planète au détriment des vies : la priorité de leurs bilans tient lieu de loi universelle, de dogme, de postulat sacré, et c'est avec la logique des justes, l'impassible bienveillance des belles âmes et des grands vertueux, le sérieux des théoriciens, qu'est provoqué le dénuement d'un nombre toujours croissant d'êtres humains et que sont perpétrés la soustraction des droits, la spoliation des vies, le massacre des santés, l'exposition des corps au froid, à la faim, aux heures vides, à la vie horrifiée.

Aucun ressentiment, aucun désir hostile ne les ont imposés ; aucun sentiment, aucun scrupule ne les ont prévenus, ni aucune compassion. Aucune indignation, aucune colère ne les ont combattus. Ils semblent répondre à un sens de la fatalité reconnu de tous ; le même qui conduit, en accord avec la mentalité générale, à maltraiter encore davantage les défavorisés, à les punir du mépris qu'ils attirent, et surtout à les oublier. Or, même ainsi, ils encombrent. Que faire de ces masses qui ne revendiquent plus (ou alors, contre le fait accompli), mais qui sont là, lassantes ? Comme on se passerait bien de ces rabat-joie, de ces sangsues, de ces profiteurs, en somme, qui se voudraient indispensables et qui prétendent exister de plein droit ! Agaçante, cette perte de finances et de temps à laquelle ils obligent encore. On serait si bien entre soi ! Cependant, se retrouver « entre soi » risque de revenir bientôt pour beaucoup (pour la plupart ?) à se trouver réunis « entre soi », certes, mais au sein du groupe sacrifié qu'il leur aura fallu rejoindre, tant il s'accroît à la vitesse grand V.

Ils sont donc bien là, ces « exclus », implantés comme aucun. Il faut faire avec eux. Prononcer sans cesse et semer à tous vents ces vœux pieux, ces refrains, leitmotive, rengaines qui ressemblent, à force, à des tics et qui invoquent le chômage, « notre souci majeur », le retour de l'emploi, « notre priorité ». Une fois cela dit, répété, matraqué, il est permis de réfléchir, délibérer, édicter en fonction des seuls flux financiers, sous la houlette de leurs animateurs et sans prendre le moins du monde en compte les autres contemporains – soit la plupart des gens en vie –, sinon comme des facteurs pour l'heure incontournables, comme des catégories crédules à traiter le plus anémiquement possible, en accentuant le profil bas de ces populations dont on n'oserait insinuer qu'elles n'ont plus guère de raison d'être et qu'elles ne figurent plus que des charges traînant des corps importuns. Prolifération de parasites qui n'ont d'autre référence que la présence traditionnelle de foules humaines sur l'écorce terrestre – tradition que l'on semble tendre à juger rétrograde.

Nous n'en sommes pas là ? Mais voyez, par exemple, une ville de luxe, moderne, sophistiquée, Paris, où tant de gens, anciens et nouveaux pauvres, couchent dehors, âmes et corps délabrés par l'absence de nourriture, de soins, de chaleur et aussi de présence, de respect. Demandez-vous à quel point la cruauté de ces vies abrège leur durée [1], et s'il est besoin de murs, de miradors pour incarcérer ces gens. D'armes pour attenter à leurs jours. Notez la férocité de l'indifférence alentour ou, même, la réprobation dirigée contre eux. Et ce n'est là qu'un exemple parmi des multitudes d'aberrations barbares, géographiquement proches, voisines absolument. Établies au sein même de nos minauderies. Cela s'appelle la « fracture sociale ». Pas l'injustice sociale, ni le scandale social. Pas l'enfer social. Non. La fracture sociale, comme les plans du même nom.

---

1. « Le niveau de la mortalité prématurée (avant 65 ans) varie selon les catégories sociales... et met en évidence une nette hiérarchie. Le taux de mortalité prématurée des ouvriers-employés est 2,7 fois plus élevé que celui des cadres supérieurs et professions libérales et 1,8 fois plus élevé que celui des cadres moyens et commerçants. » Il s'agit bien là d'un scandale en soi. Mais imagine-t-on, alors, le taux de mortalité prématurée chez les sans-abri ? (Source : Inserm, SC8, in *INSEE Première*, février 1996.)

Paris ? Mais regardez Paris, direz-vous. Une ville parmi d'autres. Les passants passent, les voitures circulent. Voyez les magasins, les théâtres, les musées, les restaurants et les bureaux, les ministères. Tout fonctionne. Les vacances, les élections, les faits divers, les week-ends, la presse, les bistrots. Entendez-vous le moindre gémissement, la moindre imprécation ? Observez-vous souvent des larmes, croise-t-on des gens qui pleurent dans les rues ? Remarquez-vous des ruines ? Les produits s'achètent, les livres se publient, la couture défile, les fêtes se fêtent, la justice se rend. De la Comédie-Française à Roland-Garros, on joue. Flâner le long des marchés – non pas financiers et mondiaux, mais qui proposent des fleurs, du fromage, des épices, du gibier – génère toujours le même charme. Imperturbable, la civilisation...

Certes, il y a les mendiants. Des cartons d'emballage tiennent lieu d'habitation ; les pavés, de lits. Cette misère dans les coins. Mais la vie court, civile, amène, élégante, érotique aussi. Les vitrines, les touristes, les fringues, quelques arbres, des rendez-vous, tout cela n'est pas fini, ne tend pas vers une fin.

Vraiment ? Certes, si nous acceptons l'existence et ses paysages tels qu'ils se présentent ou qu'on nous les présente, si nous adhérons aux points de vue conseillés, pour ne pas dire autorisés, aux orientations encouragées, si nous apprécions que soient favorisés toujours davantage les favorisés et mis de côté les autres, si nous glissons selon l'ordre prévu au long de la voie tracée, si nous allons jusqu'à approuver ce que nous sommes tancés de laisser faire, nous ne percevrons que l'harmonie ainsi confectionnée ; nous aurons accueilli et fait nôtre la perception d'un monde en accord avec ses habitants, du moins avec un nombre de plus en plus réduit d'entre eux (mais cela, on nous aura fourni tous les moyens de l'ignorer, tous ceux d'oublier de nous en inquiéter). Nous aurons bénéficié de tous les subterfuges censés nous convaincre que nous ne sommes ni ne serons, qui que nous soyons, du côté de l'infortune absolue.

Nous aurons esquivé la moindre question à propos des autres. Nous aurons préféré ignorer que, si Paris, comme toutes les grandes villes, offre des échantillons de la misère, elle relègue sa masse à l'écart en des ghettos perdus, dans certaines banlieues, certaines cités adjacentes à la ville, mais plus étrangères à elle qu'aucune ville étrangère, plus éloignées d'elle qu'un autre continent. Nous aurons obéi à l'interdit qui nous écarte de détresses stagnantes, simultanées à nos vies. Nous aurons oublié combien le temps que le malheur distille dans les veines est long, lent, suppliciant. Nous n'aurons pas détecté la souffrance honteuse d'être de trop, gênant. La terreur d'être inadéquat. L'obsession, la pesanteur du manque. La lassitude d'être tenu pour une nuisance, même par soi.

Jeune, d'être une énergie aussitôt et sans cesse, en permanence méprisée, châtrée ; ou, vieux, une fatigue qui ne trouve aucune aire de repos et, bien entendu, pas le moindre bien-être ni le moindre égard. Détresse de ces « exclus », de ceux en passe de l'être et dont on oublie, dont on oubliera vite qu'ils sont chacun désespérément inscrits dans un nom, chacun dans une conscience, sinon toujours dans un « domicile fixe ». Chacun la proie de ce corps à nourrir, abriter, soigner, faire exister et qui encombre douloureusement. Ils sont là avec leur âge, leurs poignets, leurs cheveux, leurs veines, la finesse compliquée de leur système nerveux, leur sexe, leur estomac. Leur temps détérioré. Leur naissance qui eut lieu et qui fut pour chacun le commencement du monde, l'orée sur la durée qui les a menés là.

Ce vieil homme, par exemple, usé, vaincu, malmené, rompu, depuis si longtemps terrifié, depuis si longtemps contraint, qui ne mendie même pas. Ce regard si vieux que la misère incruste même sur des visages jeunes, jusque sur ceux de nourrissons. Visages de ces bébés sur d'autres continents, par temps de famine, bébés aux visages de vieillards, aux visages d'Auschwitz, basculés dans la privation, la souffrance, l'agonie d'emblée, et qui semblent savoir, avoir d'emblée tout su de notre Histoire, plus savants que quiconque sur la science des siècles, comme s'ils avaient déjà tout éprouvé, tout connu de ce monde qui les chasse.

Regards d'adultes pauvres et de vieillards pauvres – mais peut-on encore décider de leurs âges ? Regards plus insoutenables lorsque, comme il arrive, quelque attente y survit. Il n'est souvent pire angoisse que l'espoir. Pire tremblement. Et il n'est pire horreur que la fin de soi advenue bien avant la mort et qu'il faut traîner de son vivant. Ces pas déchus. Cette absence désormais de parcours, et qu'il faut parcourir. Ces visages, ces corps de personnes que l'on ne tient plus pour des personnes, qui ne se tiennent plus pour telles, ou qui, se tenant pour telles ou se souvenant encore de la personne qu'ils furent, dont ils ont eu, dont ils ont cru avoir la charge, ont conscience de ce qu'elle est devenue. Se rappelle-t-on alors, ressasse-t-on les traces des saisons au cours desquelles tout a fui, tout s'est pétrifié dans la résignation ? Revisite-t-on ce temps d'une lenteur insidieuse au cours duquel on est devenu l'un de ceux qui, même vus, même entendus, ne sont pas regardés, ne sont pas écoutés, et qui, d'ailleurs, se taisent ? L'un de ceux que l'on ne « considère » ni ne reconnaît, sinon comme des fantasmes folkloriques, qui n'ont pas droit à la chair des mots, mais à des sigles, à ces spectres de mots : SDF, RMistes, SMICards, ou encore... rien.

Le péril s'accroît avec l'anonymat. Ces initiales ratifient le rejet dans l'insignifiance, redoublent la perte du nom, celle d'une intimité reconnue qui fonde l'individuel et, par là, l'égalité et le partage du droit. Elles sanctionnent l'amputation du passé, l'escamotage de toute biographie réduite à quelques majuscules qui ne désignent aucune qualité, même négative, et peuvent se comparer aux signes qui estampillent le bétail des troupeaux. Sigles qui tendent à banaliser l'inadmissible en le classant dans des catégories prévues, sous des lettres muettes qui taisent l'insoutenable et débarrassent du scandale en l'homologuant.

Le sigle, ici, n'indique pas la présence d'une personne attitrée, détenant une fonction, comme par exemple « PDG » ! Au contraire, il signifie la disparition d'une personne parmi des évincés, parmi des absents supposés être tous analogues, tous dans une désignation qui ne définit pas. Aucun détail possible, pas de trace d'un destin ni aucun commentaire. La normalisation dans l'annulation sociale ou, mieux (si l'on peut dire), dans l'inscription qui annule. Il n'y a plus personne ici. Il n'arrive donc ici plus rien à personne. Le calme se rétablit. L'oubli s'instaure, celui d'un présent d'avance consigné, déjà répertorié. S'impose davantage alors la distance aux autres et surtout celle des autres, qui échappent ainsi à l'angoisse d'avoir peut-être un jour à faire partie du tas. S'identifie-t-on à des ombres qui n'ont plus d'identité ?

Cette agrégation d'anonymats, on la retrouve, démultipliée, dans ces foules immenses abandonnées sur d'autres continents, des populations entières, parfois, livrées à la famine, aux épidémies, à toutes les formes de génocides, et souvent sous l'emprise de potentats agréés et soutenus par les grandes puissances. Foules d'Afrique, d'Amérique du Sud. Misère du sous-continent indien. Tant d'autres. Échelles monstrueuses, et l'indifférence occidentale à la mort lente ou aux hécatombes qui se déroulent à des distances qui sont celles de banales destinations touristiques.

Indifférence aux masses de vivants sacrifiés ; quelques minutes d'émotion, toutefois, lorsque la télévision diffuse deux ou trois images de ces dérélictions, de ces tortures, et que nous nous grisons discrètement de nos indignations magnanimes, de la générosité de nos émotions, de nos serrements de cœur sous-tendus par la satisfaction, plus discrète encore, de n'être que des spectateurs – mais dominants.

Que des spectateurs ? Oui. Mais nous le *sommes* et *sommes* donc des témoins ; nous *sommes* informés. Visages et scènes, cohortes d'affamés, de déportés, massacres parviennent jusqu'à nos fauteuils, nos canapés, parfois en temps réel, serait-ce par l'intermédiaire d'écrans, entre deux publicités.

Notre indifférence, notre passivité face à cette horreur distante, mais à celle aussi (moins nombreuse, mais non moins douloureuse) qui nous est contiguë, augurent du pire danger. Elles semblent nous protéger du malheur général en nous en séparant, mais c'est cela même qui nous fragilise, qui nous met en danger. Car nous sommes en danger, en son centre même. Le désastre est amorcé, tout à fait spécifique. Son arme majeure : la rapidité de son insertion, son aptitude à ne pas inquiéter, à paraître naturel et comme allant de soi. A persuader qu'à son implantation il n'est pas d'alternative. A ne se laisser deviner qu'une fois rendues inactives, une fois enrayées les logiques qui pourraient encore s'opposer à son emprise, et même en dénoncer les logiques.

Dans ce contexte, les SDF, les « exclus », toute la masse disparate de ces mis-de-côté forment peut-être l'embryon des foules qui risquent de constituer nos sociétés futures si les schémas actuels continuent de se dérouler. Foules dont nous deviendrions alors tous, ou presque, les entités.

Il est d'ailleurs étrange de tenir pour une monstruosité virtuelle ce qui correspondrait, mais cette fois dans nos régions d'abondance, à la condition actuelle de populations entières sur d'autres continents, eux sous-développés. Cette pauvreté déferlante, si intégrée à certains paysages, peut-elle envahir nos régions sophistiquées ? Une telle « inconvenance » peut-elle devenir possible dans une société fort peu naïve, très informée, dotée d'appareils critiques raffinés, de sciences sociales acérées, d'un goût prononcé pour l'analyse de sa propre histoire ? Mais n'est-elle pas aussi, pour cela même, par saturation, cynisme, désillusion, parfois par conviction, souvent par négligence, devenue fort peu encline aux regards décapants, fort peu lucide quant à l'urgence qu'il y a à user de lucidité ?

Après tout, diraient certains, dans ce contexte de mondialisation, de délocalisation, de déréglementation, pourquoi quelques pays continueraient-ils d'être privilégiés : la mode n'est-elle pas à l'« équité » ?

Soyons sérieux. Le scandale tient à ce que, loin de voir les zones sinistrées sortir de leur désastre et rejoindre les nations prospères – comme on avait pu le croire, comme on avait cru pouvoir le croire –, on assiste à l'instauration de ce désastre dans des sociétés jusque-là en expansion et d'ailleurs toujours aussi riches qu'auparavant, mais où les modes d'acquisition du profit se sont transformés. Ont progressé, diront certains. Du moins ces modes s'affirment-ils dans le sens d'une capacité accrue d'appropriation à sens unique, concentrée sur un nombre de bénéficiaires de plus en plus ténu, tandis que la présence active jugée nécessaire, et par là rétribuée, des autres acteurs, elle aussi décroît.

Tant il est vrai que la richesse d'un pays n'en fait pas forcément un pays prospère. Elle correspond à la richesse de quelques-uns dont les propriétés ne sont qu'en apparence localisées, inscrites dans un patrimoine, dans une masse financière nationale. Elles participent en vérité d'une tout autre organisation, d'un ordre tout autre : celui des lobbies de la mondialisation. Elle ne débouche que sur cette économie-là, à des années-lumière de la politique officielle d'un pays, comme du bien-être ou même de la survie de ses habitants.

Le même phénomène, toujours, des puissants en petit nombre, qui n'ont plus besoin du labeur des autres, lesquels peuvent (leur en avait-on baillé la garde ?) aller se faire voir ailleurs avec leurs états d'âme, leurs bulletins de santé. Hélas, il n'y a pas d'ailleurs. Et, même pour les croyants, pas en cette vie-ci. Nous n'avons pas de géographie de rechange ni d'autre sol, et ce sont depuis toujours, sur la même planète, les mêmes territoires qui vont des jardins aux charniers.

L'indifférence est féroce. Elle constitue le parti le plus actif, sans doute le plus puissant. Elle permet toutes les exactions, les déviations les plus funestes, les plus sordides. Ce siècle en est un tragique témoin.

Obtenir l'indifférence générale représente, pour un système, une plus grande victoire que toute adhésion partielle, fût-elle considérable. Et c'est, en vérité, l'indifférence qui permet les adhésions massives à certains régimes ; on en connaît les conséquences.

L'indifférence est presque toujours majoritaire et sans frein. Or, ces dernières années furent à leur façon des championnes de l'inconscience paisible face à la mise en place d'une emprise absolue ; des championnes de l'Histoire camouflée, des avancées inaperçues, de l'inattention générale. Inattention telle qu'elle-même n'est pas enregistrée. Désintérêt, défaut d'observation sans doute obtenus par des stratégies silencieuses, opiniâtres, qui lentement insinuèrent leurs chevaux de Troie et surent si bien se fonder sur ce qu'elles propagent – le défaut de toute vigilance –, qu'elles furent et demeurent elles-mêmes irrepérables, plus efficaces d'autant.

Si efficaces que les paysages politiques, économiques ont pu se métamorphoser au vu (mais non au su) de tous sans avoir éveillé l'attention, moins encore l'inquiétude. Passé inaperçu, le nouveau schéma planétaire a pu envahir et dominer nos vies sans être pris en compte, sinon par les puissances économiques qui l'ont établi. Et nous voici dans un monde nouveau, régi par ces puissances selon des systèmes inédits, mais au sein duquel, agissant et réagissant comme s'il n'en était rien, nous rêvassons toujours en fonction d'une organisation, d'une économie désormais inopérantes.

Le détachement, l'assoupissement ont tant dominé que si nous nous proposons aujourd'hui, par extraordinaire, d'enrayer quelque processus politique ou social, quelque piraterie « politiquement correcte », c'est pour découvrir que, longuement et minutieusement élaborés en amont tandis que nous somnolions, les projets que nous voulons combattre se sont solidement inscrits, seuls conformes aux seuls principes désormais en circulation ; ils paraissent donc enracinés, inéluctables, et souvent même fort tranquillement installés dans les faits !

Tout est depuis beau temps mis en place lorsque nous intervenons (ou croyons intervenir). On a d'avance évacué jusqu'au sens de toute protestation. Nous ne sommes pas même placés devant le fait accompli : nous sommes déjà verrouillés en son sein.

Notre passivité nous laisse pris dans les mailles d'un filet politique qui recouvre le paysage planétaire en entier. La question ne se pose pas tant de la valeur positive ou néfaste de la politique qui a présidé à cet état des lieux, mais au fait qu'un tel système ait pu s'imposer comme un dogme sans avoir provoqué de remous ni suscité de commentaires, si ce n'est rares et tardifs. Il a pourtant investi l'espace physique comme l'espace virtuel, installé la prééminence absolue des marchés et de leurs ondoiements ; il a su confisquer comme jamais les richesses et les escamoter, les mettre hors de portée ou même les invalider sous forme de symboles, eux-mêmes noyaux de trafics abstraits, soustraits à tous échanges autres que virtuels.

Cependant, nous en sommes encore à tenter de rafistoler un système périmé qui, lui, n'a plus cours, mais que nous rendons responsable des ravages en vérité suscités par l'instauration de ce système nouveau, omniprésent et scotomisé. L'intérêt trouvé par certains à voir notre attention ainsi détournée de ce qui se fomente, les encourage à favoriser et prolonger le leurre général.

Ce n'est pas tant la situation – elle pourrait être modifiée – qui nous met en danger, mais ce sont précisément nos acquiescements aveugles, la résignation générale à ce qui est donné en bloc pour inéluctable. Certes, les conséquences de cette gestion globale commencent à inquiéter ; il s'agit toutefois d'une peur vague dont la plupart de ceux qui l'éprouvent ignorent la source. On met en cause les effets secondaires de cette globalité (comme le chômage, par exemple), mais sans remonter jusqu'à elle, sans accuser sa mainmise, tenue pour une fatalité. L'histoire de cette dernière semble provenir de la nuit des temps, son avènement paraît indatable et devoir tout dominer à jamais. Son actualité dévorante est perçue comme relevant du passé composé : comme ce qui a lieu *car* ayant eu lieu ! « Tout branle avec le temps », écrit Pascal, « la coutume fait toute l'équité, par cette seule raison qu'elle est reçue ; c'est le fondement mystique de son autorité. Qui la ramènera à son principe l'anéantit. »

Pourtant il s'est agi, il s'agit là d'une véritable révolution, parvenue à enraciner le système libéral, à le faire s'incarner, s'activer et à le rendre capable d'invalider toute autre logique que la sienne, devenue seule opérante.

Un bouleversement jamais spectaculaire ni même apparent, alors qu'un régime nouveau a pris le pouvoir, dominateur, souverain, d'une autorité absolue mais tel qu'il n'a nul besoin d'en faire montre, tant elle circule dans les faits. Régime nouveau, mais régressif : retour aux conceptions d'un dix-neuvième siècle d'où le facteur « travail » aurait disparu. Frissons !

Le système libéral actuel est assez souple et transparent pour s'adapter aux diversités nationales, mais assez « mondialisé » pour les confiner peu à peu dans le champ folklorique. Sévère, tyrannique mais diffus, peu repérable, partout répandu, ce régime qui ne fut jamais proclamé détient toutes les clés de l'économie qu'il réduit au domaine des affaires, lesquelles s'empressent d'absorber tout ce qui n'appartenait pas encore à leur sphère.

Certes, l'économie privée détenait les armes du pouvoir bien avant ces bouleversements, mais sa puissance actuelle tient à l'ampleur toute neuve de son autonomie. Les travailleurs en nombre, les populations qui lui étaient indispensables jusqu'alors et pouvaient faire pression sur elle, se liguer pour tenter de l'affaiblir, de la combattre, lui sont de plus en plus inutiles et ne lui font plus guère d'effet.

Les armes du pouvoir ? L'économie privée ne les a jamais perdues. Parfois vaincue ou menacée de l'être, elle a su conserver même alors ses outils, en particulier la richesse, la propriété. La finance. S'il lui a fallu, contrainte et pour un temps, renoncer parfois à certains avantages, ces avantages ont toujours été très inférieurs à ceux dont elle ne se départait pas.

Même lors de ses défaites plus ou moins passagères, elle n'a jamais cessé de saper les positions de l'adversaire avec une ténacité sans pareille et d'ailleurs fort vaillante. C'est peut-être alors qu'elle s'est le mieux ressourcée. Elle s'est, à l'occasion, nourrie de ses revers, sachant se faire oublier, se camoufler tout en fourbissant comme jamais ses armes conservées, et tout en peaufinant ses pédagogies, en consolidant ses réseaux. Son ordre a toujours perduré. Le modèle qu'elle représente a pu être nié, piétiné, voué aux gémonies, il a pu même sembler s'effondrer – il n'a jamais été que suspendu. La prédominance des sphères privées, de leurs classes dominantes, s'est toujours rétablie.

C'est que le pouvoir n'est pas la puissance. Or la puissance (qui se moque des pouvoirs, qu'elle a le plus souvent elle-même octroyés et délégués afin de mieux les gérer) n'a jamais changé de camp. Les classes dirigeantes de l'économie privée ont parfois perdu le pouvoir, la puissance en aucun cas. Cette puissance que Pascal désigne sous le terme de force : « L'empire fondé sur l'opinion et l'imagination règne quelque temps, et cet empire est doux et volontaire ; celui de la force règne toujours. Ainsi l'opinion est comme la reine du monde, mais la force en est le tyran. »

Ces classes (ou ces castes) n'ont jamais cessé d'agir, de supplanter, de guetter, ni d'être sollicitées, tentatrices, détentrices de séductions. Leurs privilèges sont demeurés l'objet des fantasmes, des désirs de la plupart, même de beaucoup de ceux qui, sincères, disaient les combattre. L'argent, l'occupation des points stratégiques, les postes à distribuer, les liens avec d'autres puissants, la maîtrise des échanges, le prestige, un certain savoir, un savoir-faire certain, l'aisance, le luxe, autant d'exemples des « moyens » dont rien n'a pu les séparer. L'autorité que ne confère pas toujours le pouvoir, mais qui est inhérente à la puissance, elles l'ont en permanence conservée.

Autorité qui n'a plus de bornes aujourd'hui, qui a tout investi, en particulier les modes de pensée qui se heurtent de toutes parts aux logiques d'une organisation si bien mise en place par une puissance dont l'empreinte est partout, prête à tout s'adjuger. Mais, en vérité, tout ne lui appartenait-il pas déjà ? Ne s'approprie-t-elle pas des lieux dont elle détenait déjà les clés ? Et ces clés ne lui servent-elles pas désormais à maintenir le reste de la population, dont elle n'a plus l'emploi, à l'écart des espaces sans limite qu'elle estime siens ?

La puissance exercée est telle, son emprise si ancrée, sa force de saturation si efficace que rien n'est viable ni ne fonctionne hors de ses logiques. Hors du club libéral, point de salut. Les gouvernements le savent, qui se plient à ce qui représente sans conteste une idéologie, mais s'en défend d'autant plus que le propre de cette idéologie tient à la récusation, à la réprobation du principe même d'idéologie !

L'ère du libéralisme est en place, néanmoins, qui a su imposer sa philosophie sans avoir dû vraiment la formuler ni même élaborer de doctrine, tant elle était incarnée, active avant même d'avoir été repérée. Son emprise anime un système impérieux, totalitaire en somme, mais, pour l'heure, lové dans la démocratie, tempéré donc, limité, chuchoté, calfeutré, sans rien d'ostentatoire, de clamé. Nous sommes vraiment dans la violence du calme.

Calme et violence au sein de logiques qui aboutissent à des postulats établis sur le principe de l'omission – celle de la misère et celle des misérables créés et sacrifiés par elles avec une désinvolture pontifiante.

Les effets de ce système forclos, aux procédés taciturnes, se révèlent souvent criminels, parfois meurtriers. Mais, en nos régions, l'agressivité de cette violence si calme se résume à des facteurs d'abandon. On laisse dépérir et périr – la responsabilité de ces défaites incombant à ceux qui défaillent, à ces cohortes discrètes de sans-travail, mais supposés en détenir, tenus d'en obtenir, enjoints d'en trouver alors que, de notoriété publique, la source en est tarie.

Rengaine !

Listes de malchanceux devenue bien vite celle de réprouvés. Le fardeau qu'ils portent les transforme en fardeaux, les cantonne dans le rôle de cet « autre » depuis toujours maltraité aux moindres frais possible, mais qui surprend s'il réclame, se débat, s'il refuse ou milite. Comment peut-il manquer de sens esthétique au point de rompre l'harmonie ambiante ? De sens moral, au point de perturber les voluptés de l'assoupissement ? De sens civique, au point de ne pas comprendre l'intérêt de ceux qui l'oppriment avec si bonne conscience ? De modestie, au point de se mettre en avant ? Ne se fait-il pas là du tort à lui-même, puisqu'« on » voulait son bien (ce « on »-là étant solidement et sincèrement persuadé que son propre bien vaut pour le bien général) ?

Il est vrai que l'« autre » en question fut toujours tenu pour suspect. Pour inférieur, cela va de soi – c'est même le noyau du credo, sa pulpe. Pour menaçant aussi, et sans autre valeur que les services qu'il rendait, qu'il ne rend presque plus et de moins en moins, car il n'y a presque plus et il y aura de moins en moins de services qu'il puisse rendre. Si sa valeur tend dès lors vers zéro, qui s'en étonnera ?

On découvre ici les sentiments réels éprouvés à l'égard des autres par ceux qui dominent, sous n'importe quel régime – et sur quelles bases ils se calculent. On découvrira vite, et sans doute toujours davantage, hélas, avec le temps, comment, selon ces calculs, une fois devenu zéro, d'exclu on devient expulsé.

La pente est vertigineuse. Les affres du travail perdu se vivent à tous les niveaux de l'échelle sociale. A chacun d'eux, elles sont perçues comme une épreuve accablante qui semble profaner l'identité de qui la subit. C'est aussitôt le déséquilibre et – à tort – l'humiliation, bientôt le danger. Les cadres peuvent en souffrir au moins autant que les travailleurs les moins qualifiés. Surprenant de découvrir à quel point on peut rapidement perdre pied et comme la société devient sévère, comme il n'est plus ou presque plus de recours si l'on est démuni ! Tout vacille, enferme et s'éloigne à la fois. Tout se fragilise, même l'habitation. La rue devient proche. Fort peu de choses n'ont pas le droit d'être exercées contre celui qui n'a plus de « moyens ». Surtout plus ceux d'être épargné et dans aucun domaine.

S'installent alors des clôtures, la forclusion sociale. Et s'accentue l'absence générale et flagrante de rationalité. Quelle corrélation raisonnable peut-il y avoir, par exemple, entre perdre un travail et se faire expulser, se retrouver à la rue ? La punition n'a aucune commune mesure avec le motif avancé, donné pour évident. Que soit traité comme un crime le fait de ne pas pouvoir payer, de ne plus pouvoir payer, de ne pas réussir à payer, est déjà en soi surprenant, si l'on y réfléchit. Mais être ainsi châtié, jeté à la rue, pour n'avoir plus été en mesure de régler un loyer parce que l'on n'a plus de travail, alors que le travail fait partout manifestement et officiellement défaut, ou parce que l'emploi qui vous est attribué est tarifé trop bas en regard du prix aberrant de logements trop rares, tout cela relève du démentiel ou d'une perversité délibérée. D'autant plus qu'un domicile sera exigé pour conserver ou trouver ce travail qui seul permettrait de retrouver un domicile.

Le pavé, donc. Le pavé, moins dur, moins insensible que nos systèmes !

Ce n'est pas seulement injuste, c'est d'une atroce absurdité, d'une bêtise consternante, qui rend comiques les allures suffisantes de nos sociétés dites civilisées. A moins que cela ne dénonce aussi des intérêts fort bien gérés. De toute manière, c'est à mourir de honte. Mais qui donc subit la honte, parfois la mort et chaque fois une vie détériorée ?

Absence de rationalité ? Quelques exemples :

Exempter de reproches les castes fortunées, dirigeantes, pour une fois négligées, mais accuser certains groupes défavorisés de l'être moins que d'autres. D'être, en somme, un peu moins brimés. Tenir ainsi les brimades pour le modèle sur lequel il faudrait s'aligner – tenir, en un mot, pour la norme le fait d'être brimé.

Tenir aussi pour des privilégiés, des profiteurs en quelque sorte, ceux qui détiennent encore du travail, même sous-payé ; donc, pour la norme le fait de n'en avoir pas. S'indigner de l'« égoïsme » des travailleurs, ces satrapes qui renâclent à partager leur travail, même sous-payé, avec ceux qui n'en ont pas, mais ne pas élargir cette exigence de solidarité au partage des fortunes ou à celui des profits – ce qui serait tenu, de nos jours, pour débile, obsolète et de surcroît fort mal élevé !

Il est, en revanche, tout à fait convenable et même recommandé de vitupérer les « privilèges » de ces habitués des palaces que sont, par exemple, les cheminots, lotis d'une retraite plus acceptable que d'autres, avantage si dérisoire en regard des faveurs sans bornes, jamais remises en question, que s'adjugent comme allant de soi les vrais privilégiés ! Très en faveur, aussi, l'opprobre jeté sur ces dangereux prédateurs, ces ploutocrates célèbres, ouvriers ou employés qui osent demander qu'on augmente leurs salaires, ces signes déjà suspects de fastes éhontés. Un exercice éclairant consiste à comparer dans le même journal le montant de l'augmentation réclamée – qui sera farouchement discutée, revue à la baisse, parfois refusée – avec, à la rubrique gastronomique, le prix donné pour raisonnable d'un seul repas au restaurant, qui ne représentera jamais que trois ou quatre fois l'augmentation mensuelle désirée !

Un exemple encore : les efforts depuis longtemps entrepris afin de dresser une partie du pays contre l'autre, déclarée honteusement favorisée (agents du service public, fonctionnaires de base), sans prendre en compte ceux qui le sont vraiment, sinon pour les désigner comme « forces vives de la nation ». Et donner ces « forces vives », ces dirigeants de multinationales (amalgamés à ceux des PME), comme osant seuls prendre des risques, aventuriers impatients de se mettre sans cesse et sans fin en danger, en permanence soucieux de mettre en jeu... on ne sait trop quoi, tandis que les nababs conducteurs de métro, les parvenus patentés préposés à la Poste prospèrent scandaleusement en toute sécurité !

« Forces vives », ainsi dénommées car supposées être détentrices et productrices d'emplois, mais qui, même subventionnées, exonérées, dorlotées dans ce but, non seulement n'en créent aucun ou presque (le chômage ne cesse d'augmenter), mais, même bénéficiaires (en partie grâce aux avantages mentionnés), licencient à tour de bras.

« Forces vives », donc, autrefois nommées tout bêtement « les patrons », mais qui, soudain, relèguent les musiciens, les peintres, les écrivains, les chercheurs scientifiques et autres saltimbanques au rôle de poids morts, sans compter le reste des humains, tous invités à lever sur la vivacité de ces forces d'humbles regards de vers de terre éblouis par de telles constellations.

Quant aux usurpateurs qui se prélassent sans vergogne dans la garantie de l'emploi, leur immunité à la panique qu'entraînent la précarité, la fragilité, la disparition de ces mêmes emplois, représente un péril scandaleux. Il y a pire : ils ralentissent l'asphyxie du marché du travail. Or, asphyxie et panique sont les mamelles de l'économie dans son épanouissante modernité, et les meilleures garantes d'une « cohésion sociale ».

Le chômage, ami public numéro un ?

N'est-il pas aussi quelque peu surprenant qu'un pays où se déploie, pour aller en s'amplifiant, tant de vraie misère (et cela vaut pour bien d'autres pays en pointe), qu'un pays fier de ses « restos du cœur » (dont la nécessité équivaut à une accusation) ose néanmoins se proclamer quatrième puissance économique mondiale ? Et n'est-il pas surprenant de voir cette quatrième puissance mondiale se rengorger, rouler des mécaniques tout en se dégageant le plus possible des problèmes de santé, d'éducation, de logement et autres, son prétexte étant de les décréter, tout en le déplorant, « non rentables » ?

On s'en voudrait cependant de se montrer exagérément rationnel, matérialiste et trivial, au point d'oser se demander quels résultats émergent de ces exportations en goguette, de ces élans de la balance des comptes qui nous font, certes, tressaillir de fierté à l'idée d'être la puissance *number four* – à une place du podium, parmi les abris en carton des SDF, les courbes ascendantes du chômage, celles décroissantes de la consommation –, mais qui, néanmoins, ne semblent guère avoir d'influence sur la vie des chaumières. Ni sur celle des cités.

Beaucoup, en revanche, sur celle de nombreux groupes, réseaux d'entreprises ou autres opérateurs financiers. Et sur celle de leurs dirigeants qui, de leur point de vue, ont tout à fait raison de s'en féliciter et vivre leur vie sur des modes après tout on ne peut plus licites.

Ils ont pour eux le charme de la lucidité et suivent très logiquement leurs propres logiques, leurs propres intérêts, avec aussi cette admirable faculté, cette sagesse enviable de ne pas s'inquiéter de situations qui engendrent la misère. De n'être sensibles à cette misère que rencontrée dans un roman, un spectacle, et de s'attendrir alors, de s'indigner le temps d'une lecture, d'une projection, avec toute la fougue d'une générosité d'ordinaire en sommeil. La misère, l'injustice ne leur apparaissent, ils n'en reconnaissent l'insoutenable, ne les prennent au sérieux que lorsqu'elles s'intègrent à l'ordre du divertissement. Ils se les approprient alors, en extraient des émotions contrôlées, délectables.

Voyons une lecture exemplaire ici : celle des *Misérables*. Cosette et sa mère les bouleversent sur un écran, une scène, une page. Et Gavroche, donc, qu'à la ville ils exècrent ! Les plus cruels, les plus exploiteurs, les plus indifférents, les plus bedonnants s'identifient aux opprimés ou à leurs protecteurs. Mais qui

s'identifie aux Thénardier ? Personne ! Pourtant...
Tout de même ?... Non ! Vous n'y songez pas ! Eux,
nous, c'est Cosette, c'est Gavroche ! A la rigueur, Jean
Valjean. Et même, à la réflexion, plutôt Jean Valjean.
Ils sont tous... nous sommes tous des Jean Valjean. Et
le sont en premier – Jean Valjean d'honneur – les
« forces vives de la nation » !

L'utopie capitaliste s'est accomplie du temps de ces
décideurs, comment ne s'en réjouiraient-ils pas ? Leur
satisfaction va de soi, humaine. Trop ? Ce n'est pas
leur affaire, qui se limite aux affaires. Ils n'ont d'ailleurs guère le temps de s'y attarder, trop soucieux de
viser toujours davantage de profit, lequel, pour eux,
soyons juste, a d'abord plus exactement le sens de
« succès ».

Leur monde est passionnant, ils en ont une vision
grisante et qui, par sa réduction despotique, fonctionne. Funeste, il n'en a pas moins un sens pour qui
y participe. Mais ses logiques, son intelligence certaine
conduisent fatalement au désastre de son hégémonie.
Quelles que soient ses démonstrations savamment
hypocrites, sa puissance est mise à son propre service,
à celui de cette arrogance qui lui fait estimer bon pour
tous ce qui lui est profitable. Et naturel, pour un monde
subalterne, d'y être sacrifié.

Ils ont actuellement tout à fait raison, de nouveau,
et se doivent d'exploiter une situation, une époque
bénies, les nôtres, où aucune théorie, aucun groupe
crédible, aucun mode de pensée, aucune action
sérieuse ne s'opposent plus à eux.

Cela nous permet d'assister à ces chefs-d'œuvre de
stratégie persuasive qui parviennent à convaincre que
des politiques reconduisant ou même accélérant la
débâcle sociale, la paupérisation au détriment d'une
immense majorité, sont non seulement les seules

possibles, mais aussi les seules désirables et d'abord...
pour cette majorité.

Premier argument, sous forme de refrain : la
promesse redondante et chaque fois magique de
« créations d'emplois ». Formule que l'on sait vide,
définitivement flétrie, mais qui n'en est pas moins
incontournable, car cesser de mentir à ce propos pourrait vite signifier cesser d'y croire, avoir à se réveiller
pour se découvrir au sein d'un cauchemar qui n'ap-
partient pas au domaine du sommeil, ni même du rêve
éveillé – et d'avoir à faire face à la réalité brutale, au
péril immédiat, contingent. Aux affres de l'urgence.
Peut-être aux paniques du « trop tard » face à une mise
sous scellés tout à fait générale. Planétaire, en fait.

Et sans armes face à cela. A moins que la lucidité,
le sens de l'exactitude, l'exigence de l'attention, l'effort d'intelligence ne soient des armes potentielles,
celles qui permettraient d'atteindre au moins à l'autonomie, à la faculté de ne plus se laisser absorber par
le point de vue des autres, mais de se prendre en
compte, de se situer et de se reconnaître autrement
qu'à travers leur propre vision.

Ne plus intégrer le jugement des autres, ne plus se
l'approprier reviendrait à ne plus accepter, et moins
encore adopter leur verdict comme évident. A ne plus
se condamner soi-même de leur part à eux. Premier
pas dès lors accompli hors de la honte imposée par
exemple aux chômeurs, et qui pourrait conduire hors
de toute subordination.

Un pas, le seul peut-être, mais non une solution.
Nous n'en chercherons pas ici. Elles sont le lot des
politiciens qui, prisonniers du court terme, en
deviennent les otages. Leur électorat exige au moins
des promesses de solutions rapides. Ils ne se privent
pas d'en distribuer. On se garderait bien de les en

exempter ! Mais font-ils souvent autre chose que de s'attaquer à la hâte à quelque détail superficiel qui, vaguement rafistolé dans le meilleur des cas, permettra de mieux supporter le malaise général – malaise et malheur qui stagneront, souvent plus troubles encore, car mieux masqués par ce détail même ?

Le chantage à la solution altère les problèmes, prévient toute lucidité, paralyse la critique à laquelle il est aisé de répliquer dès lors (ton d'ironie bienveillante) : « Oui, oui... et que proposez-vous ? » Rien ! L'interlocuteur s'en doutait, d'avance rassuré : sans solution, au moins possible, envisagée, le problème disparaît. Le poser serait irrationnel, et plus encore le moindre commentaire, la moindre critique à son propos.

Une solution ? Peut-être n'y en a-t-il pas. Faut-il pour autant ne pas tenter de mettre à plat ce qui scandalise et de comprendre ce que l'on vit ? D'acquérir au moins cette dignité-là ? Selon l'opinion générale, hélas, ne pas tenir pour certaine la présence d'une solution, mais s'obstiner néanmoins à poser le problème, est tenu pour un blasphème, une hérésie, de toute évidence immoraux et débiles, absurdes de surcroît.

De là tant de « solutions » truquées, bâclées, de problèmes camouflés, niés, enfouis, de questions censurées.

Alors qu'il peut y avoir absence de solution ; elle signifie le plus souvent que le problème est mal posé, qu'il ne se trouve pas là où il est posé.

Exiger la certitude d'une solution au moins virtuelle avant de prendre en compte une question revient à la remplacer par un postulat, à dénaturer jusqu'à la question posée, dès lors détournée de ce qu'elle pourrait rencontrer d'obstacles incontournables, d'effets désespérants. Obstacles qui, pour être évités, ne disparaissent pas pour autant, mais se prolongent, insidieux, censurés, d'autant plus ancrés et dangereux qu'ils sont esquivés. Contourner, éviter, travestir devient le souci essentiel, et l'essentiel ne sera pas abordé ; mais il sera, ce qui est pire, supposé résolu.

On aura surtout fui la critique de la question même, évité d'envisager la possibilité d'une absence d'issue qui obligerait à se concentrer sur la situation, au lieu de s'en distraire au bénéfice de solutions improbables, pas même entrevues, mais censées exister. On aura échappé aux âpretés, à l'angoisse insoutenable du présent dont on aura négligé la substance, censuré le potentiel de menaces. Et l'on n'aura pas découvert mais, au contraire, laissé courir l'imposture majeure qui fait s'attarder autour de faux problèmes afin que les vraies questions ne puissent être posées.

A fuir ces questions, on s'épargne dans l'immédiat la révélation du pire, mais craindre la révélation du pire, n'est-ce pas risquer d'y être mieux précipité ? N'est-ce pas continuer de se débattre avec des forces toujours déclinantes, sans même savoir au sein de quoi l'on se débat ni contre qui ? Ou pourquoi ?

N'est-il pas terrifiant de demeurer ainsi passifs, comme paralysés, tétanisés devant ce dont dépend notre survie ? Car l'une des questions véritables consiste à se demander si cette survie est programmée ou non !

Or l'appareil politique s'emploie à dévier, supprimer ces questions ; il se mobilise, converge vers d'autres, captieuses, et focalise autour d'elles l'opinion, qu'il tient de la sorte en suspens autour de faux problèmes.

Détournement d'attention qui s'exacerbe lorsqu'il s'agit du phénomène, plus vital (ou plus mortel) encore qu'on ne le croit, de la disparition du travail et de la prolongation artificielle de son empire sur toutes nos données. La remise en cause des fausses questions posées, le rétablissement de celles évitées, la dénonciation de celles escamotées, la suppression de celles arbitrairement reconduites (mais données pour capitales alors qu'elles ne se posent plus), cela seul permettrait de découvrir les questions essentielles, urgentes, pas même entrevues. Questions qui dénonceraient sans doute la duplicité des pouvoirs, ou plutôt des puissances, et leur intérêt à ce que la société demeure inféodée au système périmé, fondé sur le travail.

Intérêt accru par ces temps que l'on aime à nommer « de crise » et dont les effets sont si bénéfiques aux marchés : populations anesthésiées, matées par la panique ; travail, services obtenus pour presque rien ; gouvernements asservis à une économie privée toute-puissante ou qui, au moins, en dépendent comme jamais.

Intérêt que servent des « solutions » le plus souvent greffées en urgence sur une situation pourrie, non définie, non analysée, moins encore mise à plat, reconduite en l'état. La déconfiture de ces « solutions » artificielles, bâclées, sabotées, servant alors à prouver qu'à ces problèmes il n'y a qu'une réponse, qui consiste à laisser moisir toute situation dans le *statu quo*.

L'urgence véritable invite à opérer des constats. Ils échappent seuls à l'interdit le plus radical : la perception d'un présent toujours escamoté. Le constat seul donne à voir sous une lumière crue ce qui, d'ordinaire celé, permet la manipulation. C'est en fixant l'événement, afin de l'examiner maintenu dans son mouvement, dans sa fuite même, ses travestis et ses contradictions, qu'on le découvrira tel quel, non trafiqué. Non enfoui sous des *a priori*, des corollaires factices.

A défaut de solutions fictives, peut-être tiendrons-nous alors une chance de percevoir enfin les vrais problèmes, et non ceux sur lesquels on veut nous égarer. C'est à partir d'une rupture avec la ruse des versions bâclées, des perceptions factices, des simulacres imposés, qu'il deviendra possible d'aborder ce dans quoi nous sommes vraiment impliqués. On pourra dès lors tenter de l'éclairer et même – mais alors sans aucune certitude – de le résoudre. Au moins aura-t-on découvert de quoi il est question et, surtout, quels sont les pièges à éviter : problèmes écrans, mises en scène truquées. C'est à partir de là – et de là seulement – qu'il deviendra possible de lutter contre un destin. Pour un destin. D'acquérir ou de recouvrer la capacité de conduire ce destin, fût-ce en le subissant, et fût-il désastreux.

La souplesse, le frémissement d'un destin, son poids d'espoir et de crainte, c'est ce qui est refusé, ce qui se refuse à tant de jeunes, filles et garçons, empêchés d'habiter la société telle qu'elle s'impose à eux comme la seule viable – la seule respectable aussi, la seule autorisée. La seule proposée, mais proposée comme un mirage, puisque, seule licite, elle leur est interdite ; seule en cours, elle les rejette ; seule à les environner, elle leur demeure inaccessible. On reconnaît là les paradoxes d'une société fondée sur le « travail », c'est-à-dire sur l'emploi, alors que le marché de l'emploi non seulement périclite mais périt.

Paradoxes que l'on retrouve, exacerbés, dans certaines banlieues. Car, si accéder au travail s'annonce pour la plupart difficile et pour beaucoup sans grand espoir, d'autres, et d'abord ceux que l'on nomme « les jeunes » – sous-entendu : ceux de ces banlieues dites « sensibles » –, n'ont aucune chance ou presque d'y avoir jamais droit. Même phénomène, toujours, d'une forme unique de survie, forclose.

Pour ces « jeunes »-là, d'avance promis à ce

problème, fusionnés avec lui, le désastre est sans issue ni limites, même illusoires. Tout un réseau rigoureusement tissé, presque une tradition déjà, leur interdit l'acquisition de moyens légaux de vivre, mais aussi de toute raison de vivre homologuée. Marginaux de par leur condition, géographiquement définis dès avant d'être nés, réprouvés d'emblée, ils sont *les* « exclus » par excellence. Des virtuoses de l'exclusion ! Ne logent-ils pas en ces lieux conçus, prévus pour devenir des ghettos ? Ghettos de travailleurs, autrefois. De sans-travail, sans-projet, aujourd'hui. Leur adresse n'indique-t-elle pas un de ces *no man's land* considérés – et qui s'exposent comme tels, surtout en regard de nos critères sociaux – comme « terres d'aucun homme », ou « terres de ceux qui ne sont pas des hommes », ou même des « pas-hommes » ? Terrains qui semblent scientifiquement créés pour qu'on y périclite. Terrains vagues, ô combien !

Ces « jeunes », qui ne s'en tiendront pas à figurer « les jeunes », qui deviendront adultes, qui vieilliront si leurs vies leur prêtent vie, ont à coltiner, comme tout être humain, le poids toujours si lourd de l'avenir à traverser. Mais un avenir ici vacant, où tout ce dont la société dispose de positif (ou ce qu'elle donne pour tel) a d'avance été comme systématiquement supprimé. Que peuvent-ils attendre de l'avenir ? Quelle sera leur vieillesse, s'ils y atteignent ?

L'ancrage est immédiat, ici, dans l'injustice, l'inégalité flagrantes, sans que les intéressés en soient responsables, sans qu'ils se soient mis eux-mêmes dans cette situation. Leurs limites étaient figées dès avant leur naissance, et les corollaires de cette naissance prévus comme autant de rebuffades, de relégations plus ou moins tacites, liées à tant d'indifférence.

Indifférence dont la société se réveille à chaque fois

paniquée, scandalisée : « ils » ne s'intègrent pas ; « ils » n'acceptent pas tout avec la grâce que l'on était en droit d'attendre – du moins pas sans se débattre, sans sursauts, d'ailleurs vains, sans infractions au système qui les bannit, les incarcère dans l'éviction. Ni sans répondre à l'agression latente, permanente qui est leur lot, par des agressions d'autant plus brutales, ostensibles, explosives qu'elles ont lieu presque toujours, et par force, sur place, en lieu clos. Cernés dans une ségrégation informulée mais de fait, qu'ils soient Français de souche ou d'origine étrangère, ou encore étrangers, « ils » ont l'indécence de ne pas s'intégrer !

Mais s'intégrer à quoi ? Au chômage, à la misère ? Au rejet ? Aux vacuités de l'ennui, au sentiment d'être inutiles ou, même, parasitaires ? A l'avenir sans projet ? S'intégrer ! Mais à quel groupe éconduit, à quel degré de pauvreté, à quels types d'épreuves, quels signes de mépris ? S'intégrer à des hiérarchies qui, d'emblée, vous relèguent, fixés au niveau le plus humiliant sans que l'on vous ait donné ni que l'on vous donne jamais la possibilité de faire vos preuves ? S'intégrer à cet ordre qui, d'office, vous dénie tout droit au respect ? A cette loi implicite qui veut qu'aux pauvres soient alloués des vies de pauvres, des intérêts de pauvres (c'est-à-dire pas d'intérêts) et des travaux de pauvres (si travaux il y a) ?

Faire ici une différence entre Français de souche et enfants d'immigrés ayant ou non droit à la citoyenneté française, reviendrait à tomber dans l'un des pièges destinés à distraire de l'essentiel en divisant pour régner. Il s'agit avant tout de *pauvres*. Et de *pauvreté*.

Le racisme et la xénophobie exercés contre les jeunes (ou contre les adultes) d'origine étrangère peuvent servir à détourner du vrai problème, celui de la misère, de la pénurie. On ramène la condition d'« exclu » à des questions de différences de couleur, de nationalité, de religion, de culture, qui n'auraient rien à voir avec la loi des marchés. Alors que ce sont les pauvres, comme toujours et depuis toujours, qui sont exclus. En masse. Les pauvres et la pauvreté. Même si l'on dresse des pauvres contre des pauvres, des opprimés contre des opprimés et non contre les oppresseurs, contre ce qui opprime, c'est cette condition-là qui est visée, brimée, et que l'on répudie. On a rarement vu, à notre connaissance, un émir expulsé, « scotché » dans un charter !

Ce sont les pauvres qui, d'emblée, sont indésirables, d'emblée placés où il n'y a qu'absence, confiscation : dans ces paysages si proches et si incompatibles que sont devenues, que l'on a laissé devenir ces banlieues où l'on s'est débarrassé d'une partie de ceux dont on n'a pas ou plus besoin, ainsi mis à l'écart, établis dans ces chefs-d'œuvre d'annulation latente. Dans ces lieux mis au ban et qui, dans leur ensemble, manifestent le vide, l'absence de ce qu'on trouve ailleurs, de ce qui n'est pas là, mais dont on devient ici d'autant plus conscient. Décor de ce qui manque. Lieux de soustraction (mais qui peuvent être, qui se doivent d'être aussi ceux de l'habitude, ceux de l'intimité, ceux de la mémoire). Lieux de dépouillement qui, étrangement, conviendraient à des anachorètes, à l'ascèse. Cadres dénudés, découragés, décourageants. Emblèmes transparents d'une distanciation, d'une mélancolie qu'à la fois ils exposent et provoquent, traduisent et constituent.

C'est là, dans ce vide, dans cette vacance sans fin que s'encagent, se délitent des destins, que se noient des énergies, que s'annulent des trajectoires. Ceux dont la jeunesse est piégée là, impuissante, en sont conscients et préfèrent ne pas s'attarder à envisager la suite de leurs vies. A la question « Comment te vois-tu dans dix ans ? », l'un d'eux répondait : « Je me vois même pas à la fin de la semaine[1]. »

Imagine-t-on ce qu'ils éprouvent dans la lenteur des journées qui traînent, à n'avoir droit à rien de ce qu'on leur expose comme composant la vie ? A n'être pas seulement tenus pour dépourvus de toute valeur, mais pour carrément inexistants en regard des valeurs enseignées – valeurs dont on s'étonne qu'ils ne soient pas enthousiastes, non plus qu'à l'enseignement qui les véhicule !

Pourquoi se formaliseraient-ils ? s'étonne l'opinion générale. Puisque ce sont eux, les pauvres, n'est-il pas naturel qu'ils le soient ? Puisqu'ils se trouvent habiter ici, n'est-il pas naturel qu'ils en soient là ?

Les préjugés contre eux sont si défavorables et si généralement partagés que ces garçons, ces filles sont jugés coupables d'habiter ces zones. Voir leur diffi-culté à trouver un emploi multipliée lorsqu'ils ont à donner leur adresse. Il ne s'agit pas de faire de l'an-gélisme, de nier la délinquance, la criminalité, mais de noter que l'autisme s'installe des deux côtés, du leur et de celui qui les relègue. L'insécurité ? Mais que leur inflige-t-on d'autre ? Admettons-les coupables de ce qu'ils font chacun de leur situation. Mais ils ne s'y sont pas mis, ils ne l'ont pas créée, encore moins choisie. Ils n'ont pas été les architectes de ces lieux mortifères, ni les décideurs qui les ont projetés, approuvés, commandés. Permis. Ils ne sont pas des despotes qui auraient inventé le chômage et éradiqué ce travail qui leur fait tant défaut, comme à leurs

1. France 3, *Saga-cités,* 10 février 1996.

familles ! Ils sont seulement ceux qui sont pénalisés plus que tous les autres de n'en avoir pas.

Les dégâts de leur fait sont visibles, mais ceux qu'ils subissent ? Leur existence fonctionne comme un cauchemar vague et sans fin, issu d'une société organisée sans eux, de plus en plus fondée autour de leur rejet plus ou moins implicite.

Mais le cynisme porte tout pouvoir à retourner contre ceux qu'il opprime le ressentiment. Et cela nous convient bien, puisque la conviction générale veut que le malheur social soit une punition. Il en est une – inique.

Les vies dévastées de ces « jeunes » (et des moins jeunes) n'éveillent guère de scrupules chez les autres. Les scrupules sont pour eux, honteux d'être honnis.

Dans ce contexte à proprement parler « inqualifiable », leurs brutalités, leurs violences sont indéniables. Mais les ravages dont ils sont les proies ? Destins annulés, jeunesse détériorée. Avenir aboli.

On leur en veut de réagir, d'attaquer. Ils sont en vérité, malgré la délinquance – mais de par elle aussi –, en position de faiblesse absolue, isolés, contraints à l'acceptation totale, sinon au consentement. Leurs sursauts ne sont que ceux d'animaux piégés, d'avance vaincus et qui le savent, serait-ce d'expérience. Ils n'ont aucun « moyen », coincés dans un système tout-puissant où ils n'ont pas de place mais dont ils n'ont pas la faculté non plus de s'éloigner, plus enracinés que tous les autres au milieu de ceux qui les voudraient au diable et qui ne s'en cachent pas. Ils sont et se savent d'autorité sans travail, sans argent, sans avenir. Toute énergie perdue. La proie, pour ces raisons, d'une douleur souterraine, effervescente, qui provoque la rage en même temps qu'elle abat.

Imaginez *la* jeunesse, la vôtre, celle des vôtres en

cet état (que l'on commence à connaître à tous les échelons de la société, mais alors amorti, plus latent, moins fatal). Pour eux, n'existent d'options légales que celles qui leur sont refusées. L'inquiétude même est inutile lorsqu'il n'y a pas d'espoir. Lorsque l'avenir s'annonce identique au présent, sans projet, l'âge en plus. Alors que la vie appelle. Alors que rien ne leur a été seulement insinué de ce que pourrait contenir de richesses leur seul luxe, ce temps dit « libre » et qui pourrait l'être, vibrer, les faire vibrer, mais qui les oppresse, rend les heures hagardes et devient leur ennemi.

Peut-être le plus scandaleux réside-t-il dans la confiscation de ces valeurs aujourd'hui interdites – disons-le : culturelles, celles de l'intelligence – car elles ne représentent pas des « créneaux vendeurs », mais surtout parce qu'il y aurait danger à laisser filtrer des éléments mobilisateurs dans un système qui mène à la léthargie ; qui encourage un état que l'on osera comparer à celui d'agonie.

Encore que puisse sembler tout aussi scandaleuse cette déconsidération dans laquelle ils se tiennent eux-mêmes, piégés au sein du mépris, en l'absence de tout respect à leur égard comme à celui des leurs, coincés dans cette honte plus ou moins refoulée dans la haine, et qui, même refoulée, n'empêche pas qu'à l'orée de leur vie ils soient tenus et se tiennent pour déchus, du seul fait d'exister, et soient conduits comme tant de victimes à se culpabiliser, à porter sur eux-mêmes le regard dévalorisant des autres, à se joindre à ceux qui les réprouvent.

Croit-on qu'ils pourraient, qu'ils peuvent refuser d'être ainsi maintenus pétrifiés dans leur condition plus que subalterne, et qu'ils pourraient nier son bien-fondé ou critiquer le sort qui leur est imposé, sans paraître faire acte de subversion ? Sans paraître s'opposer, bêtes et méchants, à la fatalité ? Et qui les soutiendrait ? Quels groupes ? Quels textes ? Quelle pensée ? Ils ne peuvent secouer leur sort et leur joug que par des moyens détournés, souvent dans la violence, dans l'illégalité, qui les affaiblissent davantage et répondent en un sens aux vœux de ceux qui ont intérêt à les maintenir à l'écart dans cet abandon, ainsi justifié.

De ces répudiés, de ces laissés-pour-compte jetés dans un néant social, on attend cependant des conduites de bons citoyens promis à une vie civique toute de devoirs et de droits, alors que leur est retirée toute chance d'accomplir aucun devoir, et que leurs droits, déjà fort restreints, sont volontiers bafoués. Quelle tristesse alors, quelle déception de les voir enfreindre les codes du savoir-vivre, les règles de bienséance de ceux qui les écartent, les tutoient, les bousculent, les méprisent d'office ! De ne pas les voir épouser les bonnes manières d'une société qui manifeste si généreusement son allergie à leur présence, et les aide à s'envisager eux-mêmes comme hors jeu !

De qui se moque-t-on ?

Et de qui encore, en leur proposant sous des formules diverses, et sous prétexte d'emploi, des occupations imbéciles, au rabais, comme – dernière invention à ce jour – faire la police sans être de la police et toujours au rabais, dans leurs propres immeubles, auprès de leurs proches – ou plutôt contre eux ! Nous ne serions pas loin de la délation officialisée. Et tout à fait proches d'une guerre des gangs astucieusement mitonnée. Rassurons-nous : ce projet de projet sera comme tant d'autres oublié le lendemain. Ces rabâchages auront cependant orienté les médias, les esprits, et occupé le temps. L'imagination des instances au pouvoir est sans limite lorsqu'il s'agit de distraire la galerie avec des bricolages débiles, sans effets, sinon néfastes, sur rien.

Moins encore sur ces jeunes cernés dans un monde onirique, dans ses acharnements blêmes, ses carences de perspectives, avec, pour toutes valeurs officiellement suggérées, celles de morales civiques la plupart liées au travail – et qu'ils n'ont donc aucun moyen de suivre –, ou celles des marchandises sacralisées par la publicité, qu'ils n'ont pas davantage les moyens d'acquérir, légalement du moins.

Exclus de ce qui est exigé d'eux, donc du désir éventuel d'y répondre, ils ne peuvent que s'inventer d'autres codes, valables en circuit fermé. Des codes décalés, rebelles. Ou bien suivre certains délires. Appâts de la drogue, désastres du terrorisme. Tentation d'en être les prolétaires. D'être les prolétaires de quelque chose : on en est là !

Qu'ont-ils à perdre puisqu'ils n'ont rien reçu, sinon des modèles de vie que tout les empêche d'imiter ? Modèles issus d'une société qui les leur impose sans leur permettre de s'y conformer. Cette impossibilité de reproduire les critères de milieux qui leur sont interdits et qui les rejettent est aussitôt répertoriée comme une défection, comme un refus brutal, un signe de leur inaptitude, une preuve de leur anomalie, et comme le prétexte idéal pour continuer de les nier et renier. De les oublier là, abandonnés, proscrits.

Hors jeu !

On atteint ici à des sommets de l'absurde, de l'inconscience planifiée. De la tristesse, aussi. Car les voici comme leurs aînés (et, en principe, comme leur descendance) exclus d'une société basée sur un système qui ne fonctionne plus, mais hors laquelle il n'y a ni salut, ni statut. Du moins dans la légalité.

Peut-être représentent-ils pour elle l'image même de sa propre agonie encore camouflée, retardée encore. L'image de ce que produit la disparition du travail dans une société qui s'entête à fonder sur lui ses seuls critères, sa base. Sans doute y rencontre-t-elle, paniquée, l'image de son avenir, et cette image inconsciemment reçue comme prémonitoire accentue-t-elle la crispation. Le désir, surtout, de se déclarer et de se croire différent de ceux qui sont en marge.

Peut-être l'image de ces « jeunes » illustre-t-elle ce que redoute pour elle-même cette société inquiète qui les encercle de ce qui n'est plus que ses traces, qui les maintient au creux d'un système presque aboli dont elle les répudie.

Maintenus, fixés même dans la répudiation, les voici face au néant, dans ce vertige de la déportation sur place en des espaces carcéraux sans parois tangibles, d'où l'on ne peut donc s'évader. Une absence de clôtures physiques qui interdit l'évasion.

Les voici, à l'âge effervescent, avec, en fait, des rêves surannés, des nostalgies vaines. Avec un désir éperdu, masqué par la haine, de cette société périmée dont ils auront sans doute été les derniers à qui elle aura fait illusion ! Ceux qui en sont expulsés, qui vivent à ses frontières, interdits, peuvent seuls, ou presque, la prendre encore pour une Terre promise. Comme dans les mauvais romans, l'amour et ses fantasmes s'accroissent, exaspérés, face aux refus de l'amante ou de l'amant.

Ainsi de certains de ces « jeunes » – et de tous, peut-être – habités d'un rêve fou : s'intégrer dans une société géographiquement contiguë, mais inaccessible à leurs biographies. Beaucoup d'entre eux – bien plus qu'on ne croit – ont le désir de pouvoir oser ce rêve cette fois précis, d'autant plus irréel : acquérir du travail. Le travail comme Graal, chevalier ! Mais ils n'ont pas du tout le genre Nibelungen, ils ont plutôt le genre... Bovary. Oui, le genre Emma ! Les voici donc, comme elle, avides de ce qui devrait être et qui n'est pas, mais qui fut sinon promis, du moins raconté, célébré. De ce qui a fait rêver et qui manque. Les voici, telle Emma, n'admettant pas la carence de ce qui se dérobe, que l'on imagine ailleurs, mais que l'on ne rencontre pas, qui ne se produit jamais. Et sans quoi n'existe à l'infini qu'un océan d'ennui sans fond et, à perte de vue, la perte au sein des possédants.

Les voici, proies de l'absence, prisonniers du lacunaire, convoitant ce qui n'existe d'ailleurs pas, et frustrés, comme l'était Emma, d'un programme d'autant plus excellent qu'il était chimérique. Ils se retrouvent sans statut, comme elle était sans amour. Avides et privés de ce qu'ils croyaient réel et dû, ils se dévergondent comme elle. Ils tentent de mimer ce qu'ils désirent en vain et, comme elle, ils le caricaturent. A moins que la société ne soit, elle, la caricature de ce que la vie pourrait, de ce qu'elle devrait être. De ce qu'il serait après tout raisonnable qu'elle fût. Ce que savait Flaubert, complice des rêves de Madame Bovary dont il disait : « C'est moi. »

Ils volent donc comme elle faisait des dettes, se droguent comme elle faisait l'amour, pour atteindre à ce qui n'a jamais eu cours et qu'on leur a vanté comme accessible, désirable, nécessaire et certain. Comme elle, coincés dans « la série des mêmes jours », ils espèrent « des péripéties à l'infini [1] » et tentent comme elle, dans leur province à eux, d'obtenir un rôle, et prépondérant, fût-ce hors des codes et des lois. Ils se seront comme elle compromis et débattus en vain, pour

---

1. Gustave Flaubert, *Madame Bovary*.

finir, comme elle, logiquement vaincus. Tandis que se propage une fois encore, à jamais peut-être, la morale des Homais décorés, pérorant, supposés mettre à l'abri le poison qu'ils détiennent.

Supposés surtout couvrir de leurs discours pontifiants, de leurs rabâchages, l'horreur planétaire, au point que l'on y devienne indifférent. Mieux : que l'on devienne sourds, aveugles, inaccessibles aussi à la beauté que produit si souvent, dans cette horreur magique, l'héroïsme de la lutte menée par des humains, non contre la mort, mais afin de rater avec plus de ferveur l'étrange, l'avare miracle de leurs vies. Leur aptitude merveilleuse à s'inventer eux-mêmes, à exploiter le bref intervalle qui leur est imparti. L'indicible beauté issue de leur ambition démente de gérer cette Apocalypse, de repérer, de construire des ensembles ou, mieux, d'élaborer, de ciseler un détail, ou, mieux encore, d'insérer leur propre existence dans la cohue des disparitions. De participer de bric et de broc à une certaine continuité, même déplorable, alors que, ligotés dans l'ordre du temps, leurs corps et leurs souffles sont tous, du berceau à la tombe, et dans le désordre, abolis d'avance, en voie de destruction. Stoïcisme qui permet à la vie de n'être pas une préface à la mort. Pas seulement.

Ici, une parenthèse, mais qui ne nous éloignera pas du « problème des banlieues » ni de ceux dont les versions plus ou moins sciemment falsifiées nous sont distillées comme autant de venins, avec une facilité déconcertante, anesthésiés que nous sommes par le rabâchage des Homais dont c'est la véritable vocation d'assourdir, d'abrutir.

Celle de la culture consiste, en revanche, à susciter, entre autres, la critique de leurs cuistreries imbéciles – et d'en donner les moyens. De faire entendre autre chose au-delà, serait-ce le silence. Apprendre à l'écouter, permettre à ses rumeurs de nous parvenir, percevoir ses langages, laisser sourdre du son, se définir du sens, et du sens inédit, c'est se dégager un peu du caquetage ambiant, être moins piégé dans la redondance, c'est offrir un peu de champ à la pensée.

Penser ne s'apprend certes pas, c'est la chose au monde la mieux partagée, la plus spontanée, la plus organique. Mais celle dont on est le plus détourné. Penser peut se désapprendre. Tout y concourt. S'adonner à la pensée demande même de l'audace alors que tout s'y oppose, et d'abord, souvent, soi ! S'y engager réclame quelque exercice, comme d'oublier les épithètes qui la donnent pour austère, ardue, rebutante, inerte, élitaire, paralysante et d'un ennui sans bornes. Comme de déjouer les ruses qui font croire au clivage de l'intellect et du viscéral, de la pensée et de l'émotion. Y parvient-on, cela ressemble diablement au salut ! Et cela peut permettre à chacun de devenir, pour le meilleur ou pour le pire, un habitant de plein droit, autonome, quel que soit son statut. Que cela ne soit guère encouragé ne saurait surprendre.

Car rien n'est plus mobilisateur que la pensée. Loin de figurer une morne démission, elle est l'acte en sa quintessence même. Il n'est d'activité plus subversive qu'elle. Plus redoutée. Plus diffamée aussi, et ce n'est pas un hasard, ce n'est pas anodin : la pensée est politique. Et pas seulement la pensée politique. De loin pas ! Le seul *fait* de penser est politique. D'où la lutte insidieuse, d'autant plus efficace, menée de nos jours, comme jamais, contre la pensée. Contre la *capacité de penser*.

Laquelle, pourtant, représente et représentera de plus en plus notre seul recours.

J'ai raconté ailleurs [1], je le résume ici, comment, en 1978, au cours d'un colloque en Autriche, à Graz, toute la salle s'était esclaffée lorsque l'un des orateurs avait demandé au public (très international) s'il connaissait Mallarmé, « un poète français ». Ne pas connaître Mallarmé ! Plus tard, un Italien avait pris la parole et s'était indigné de ces rires. Il avait à son tour mentionné plusieurs noms propres. « Les connaissez-vous ? » Nous les ignorions tous. C'étaient les noms de marques de mitrailleuses. Il revenait d'un pays qu'il

---

1. In *La Violence du calme, op. cit.*

trouvait exemplaire, un pays en guerre civile, où « 90 % des habitants » connaissaient ces noms ; mais 0 % celui de Mallarmé. Nous étions donc, nous, élitaires, chichiteux, snobs, en un mot des « intellectuels ». Nous n'avions pas le sens des vraies valeurs, les nôtres étaient futiles, narcissiques, étriquées, inutiles. Il existait pourtant des luttes à mener. De l'urgence. Il nous contemplait, écœuré, les yeux pleins de courroux. Humble et penaude – d'autant plus que le thème du colloque n'était autre, opprobre suprême, que « Littérature et principe de plaisir » ! –, la salle l'avait ovationné.

Quelque chose me gênait, j'avais demandé la parole et je m'étais entendue dire qu'il n'était peut-être pas souhaitable de trouver naturel qu'une immense, une gigantesque majorité n'ait d'autre choix que d'ignorer Mallarmé. Majorité qui n'avait pas choisi de ne pas le lire, mais pour qui il n'en était pas question, non plus que de connaître son nom. Alors que notre contempteur lui-même, pour être en mesure de regretter notre érudition, se devait de ne pas y être étranger.

Or, au sein de cette immense majorité de groupes sociaux écartés du nom de Mallarmé existait la même proportion que dans le nôtre – si désastreusement minoritaire – d'hommes et de femmes aptes à lire Mallarmé, à savoir s'ils en avaient ou non le goût. Ils n'avaient pas eu droit, comme nous, à la série de formations, d'informations qui mènent à connaître son existence, et à la liberté de choisir de le lire ou non. Et, l'ayant lu, de l'apprécier ou non.

Si le servant de la mitrailleuse, si les paysans d'Afrique (je m'entendais répéter une liste aujourd'hui surannée, mentionnée par notre ami), les mineurs du Chili, la plupart des OS européens (de nos jours, on dirait les chômeurs [1]) ignoraient tout de Mallarmé, de ce qui conduit à son nom, ce n'était pas de leur plein gré : ils n'y avaient pas accès. Et, de toutes parts, on veillait à ce qu'ils ne pussent l'obtenir. A eux les mitrailleuses ! A d'autres le loisir d'aimer ou non lire Mallarmé.

Or quelque chose changerait enfin (m'entendais-je poursuivre) si les paysans d'Afrique, etc., avaient les moyens de choisir eux-mêmes les objets de leur connaissance, d'en décider en fonction de l'abondance dont nous disposions. Etait-ce une qualité d'ignorer le nom de Mallarmé, mais non celui d'une mitrailleuse ? Nous pouvions tenter d'en décider. Notre ami en décidait pour eux. Eux ne le pouvaient pas. Ils n'avaient pas cette latitude, ce droit. Que nous avions.

Les dirigeants des mouvements politiques de tous bords – ou des deux bords en cas de conflit précis – n'étaient-ils pas plus proches entre eux, plus aptes à des échanges qu'ils ne l'étaient de chacun de leurs partisans, de leurs exécutants – en somme, des servants de mitrailleuses ?

Les systèmes qui, plus ou moins lentement, plus ou moins ostensiblement, plus ou moins tragiquement, mènent à des impasses, seraient bien plus menacés,

---

1. De nos jours, près de vingt ans plus tard, notre ami pourrait poser une autre question. Point ne lui serait besoin pour cela de voyager, il lui suffirait de faire du tourisme dans les agences pour l'emploi. En France, il y ferait connaissance avec une culture spécifique au sein de laquelle naviguent les demandeurs de ces emplois évanescents. Culture à laquelle ils sont seuls ou presque (mais nombreux, de plus en plus nombreux !) initiés. Culture qui se révèle bien plus hermétique qu'aucune page de Stéphane Mallarmé ! Celle des forêts de sigles. « Connaissez-vous, pourrait-il demander, le sens de PAIO, de PAQUE, de RAC, de DDTE, de FSE, de FAS, de AUD, de CDL, parmi tant d'autres ? » Qu'eussiez-vous répondu ?

leurs puissances contrôlées, si Mallarmé avait davantage de lecteurs, potentiels au moins. Et les pouvoirs ne s'y trompent pas. Ils savent bien, eux, où réside le danger. Qu'un régime totalitaire s'impose, ce sont les Mallarmé que, d'instinct, il repère d'abord, qu'il exile ou supprime, même s'ils ont peu d'audience.

Le travail d'un Mallarmé n'est *pas* élitaire. Il tend à briser la gangue dont nous sommes prisonniers. A décrypter la langue, ses signes, ses discours, et à nous rendre par là moins sourds, moins aveugles à ce que l'on s'emploie à nous dissimuler. Il tend à dilater notre espace. A exercer, affiner, assouplir la pensée, qui seule permet la critique, la lucidité, ces armes majeures.

Les mitrailleuses sont violentes, parfois indispensables pour éviter le pire, mais leur violence est prévue, elle fait partie du jeu et sert presque toujours le retour éternel des mêmes changements. On aura déplacé les termes, sans changer l'équation. L'Histoire est faite de ces sursauts. La hiérarchie se porte bien.

Mallarmé lu, cela suppose acquises certaines facultés qui pourraient conduire à certaines maîtrises et, par là, à l'approche de certains droits. Faculté de ne pas répondre au système dans les termes réducteurs seuls offerts par lui, et qui annulent toute contradiction. Faculté de dénoncer la version démente du monde dans laquelle on nous fige, et que les pouvoirs se plaignent d'avoir à charge alors qu'ils l'ont délibérément instaurée.

Mais, pour mieux embrigader, asservir, et cela de quelque bord que soient les pouvoirs, on détourne l'organisme humain de l'exercice ardu, viscéral, dangereux de la pensée, on fuit l'exactitude si rare, sa recherche, afin de mieux manœuvrer les masses.

L'exercice de la pensée, réservé à quelques-uns, préservera leur maîtrise.

Mallarmé, m'entendais-je conclure...

C'est alors que dans l'assistance un homme s'est écrié : « *Mallarmé is a machine gun !* » – Mallarmé est une mitrailleuse !

Et c'était vrai.

Je lui laissai le mot de la fin.

Chez ces « jeunes », ces habitants jeunes des quartiers que l'on nomme « difficiles » (mais qui sont plutôt ceux où tentent de vivre des gens en grande difficulté), ce ne sont pas des noms de mitrailleuses, c'est le vide qui remplace le nom de Mallarmé. Le vide, et l'absence de tout projet, de tout avenir, de tout bonheur au moins visé, du moindre espoir, mais qu'un certain savoir pourrait compenser, suscitant même un certain plaisir à parcourir ces voies qui mènent au nom de Mallarmé.

Ne rêvons pas !

Pourtant, l'unique luxe de ces jeunes gens, de ces jeunes filles, n'est-il pas ce temps libre qui pourrait permettre, entre autres, leurs incursions en ces régions effervescentes ? Mais qui ne permet rien, car ils sont ligotés au sein d'un système rigide, vétuste, qui leur impose exactement ce qu'il leur refuse : une vie liée au salariat et dépendante de lui. Ce que l'on nomme une vie « utile ». La seule homologuée et qu'ils ne mèneront pas, car elle est de moins en moins viable pour les autres, et plus du tout pour eux. Son fantasme les enferme néanmoins dans une existence régie par la vacuité que suscite son absence.

Cela pèse lourd, très lourd dans la maigreur glauque des banlieues.

Il existe à l'autre pôle ce monde foisonnant, effervescent, délectable, mais déprécié, peut-être même en voie de disparition lui aussi (il est vrai qu'il le fut toujours, c'est bien l'un de ses caractères), non pas le monde du *jet-set*, mais un monde de recherche, de pensée, de drôlerie, de ferveur. Le monde de... l'intellect, terme rejeté avec un mépris délibéré, concerté, encouragé par la société – voir les clins d'œil complices des moindres imbéciles qui, le prononçant comme une insulte, prévoient des connivences empressées et les ricanements aussitôt déclenchés. Cela n'a rien d'innocent.

Monde de l'intellect auquel beaucoup de ces jeunes désœuvrés seraient tout autant que d'autres disposés, s'ils en avaient les clés. Ils y sont, à dire vrai, plus disponibles que d'autres, car ils disposent de plus de temps, de ce temps qui pourrait être libre mais devient du temps vacant, vide à se flinguer, du temps de honte et de perte, vénéneux, alors qu'il s'agit du plus précieux des matériaux. Alors qu'à partir de lui leurs vies pourraient être vécues à pleins feux.

Mais supposer cela, l'imaginer possible serait tenu à juste titre pour le comble de l'absurdité. D'autant que la scolarité la plus élémentaire est déjà des plus mal vécue par ces « jeunes » si marginaux (ou si marginalisés) que l'on se risque peu sur leurs territoires dont on ignore les codes, et qu'ils ne pénètrent pas dans la plupart des nôtres.

Ces zones et leurs habitants sont implicitement mais sévèrement tenus à l'écart, et s'y tiennent. Pour être invisible, intangible, le mur n'en est pas moins effectif.

Les habitants d'autres quartiers viennent-ils flâner dans ces cités pourtant si proches, tangentes aux villes dont elles sont séparées ? Non, car on les tient, souvent avec raison, pour périlleuses. Mais songe-t-on que leurs occupants ont, eux, déjà basculé, ont été basculés au creux du danger que chacun redoute : l'exclusion sociale permanente, absolue, au point d'être banalisée ?

Et voit-on souvent ces banlieusards-là déambuler ailleurs que chez eux ou en des lieux analogues aux leurs ? Que partagent-ils avec les autres, avec nous, sinon la télé, le métro parfois, la pub et l'ANPE ? Les aperçoit-on ailleurs qu'à la télévision, dans leur zoo, au cours d'émissions à résonances ethnologiques ou folkloriques, ou dans le nôtre, dans notre zoo, à l'occasion des quelques descentes mouvementées qu'ils y font, mais justement en tant que guerriers sortis de leurs frontières ?

Ces frontières, qui les a instaurées ? Préfèrent-ils vraiment, ces « jeunes », leurs collèges techniques aux lycées des beaux quartiers ? Leurs espaces désertiques à des régions favorisées ? Sont-ils composés d'une substance telle qu'elle les leur interdit ? Ou bien s'agit-il tout bêtement de leur pauvreté ?

Seul groupe social les reliant à une société qui n'est d'évidence pas la leur : la police. Mais il s'agit là d'une relation si étroite, où le jeu souvent tragique de chacun des deux camps répond tellement à celui, prévisible, de l'autre, s'inscrit tellement dans la même routine, les mêmes brutalités, dans le même piège, que ces rituels en paraissent presque d'ordre incestueux !

Seul décor institutionnel organisé presque exclusivement à leur bénéfice selon des conceptions étroitement liées à leur avenir, adéquates à leurs destins : la prison.

Il existe un autre terrain, cependant, où ces « jeunes » rencontrent l'autre bord en terrain clos : l'école. Ils sont confrontés là directement, souvent pour la première fois, qui aura été parfois la dernière, à ceux qui les excluent. En face à face, sur un même territoire, dans une relation intime, quotidienne, officiellement obligatoire. Et c'est en ce point même que, très manifestement, la plupart du temps ils ne se rejoindront pas.

Cela, pour une raison majeure : quelles que soient leurs situations financières, leurs conditions sociales, leurs motivations, les professeurs proviennent du côté privilégié du mur, et les laisseront de l'autre.

Quelles que soient leur valeur et leur nécessité, les enseignants, l'institution scolaire sont liés à ceux qui excluent, humilient, qui ont relégué les parents (donc leurs enfants) dans des impasses pour les y oublier, coincés là hors la vie pour la vie. Ils sont les délégués d'une nation qui traite d'ordinaire en ilotes, en intouchables ces élèves et leurs familles – qu'ils soient citoyens ou non. Et cela peut ressembler, même si c'est injuste, à l'intrusion de l'ennemi dans la place, à la violation d'un territoire d'ordinaire si abandonné.

Quel que soit le bien-fondé de cette irruption, dernier vestige de promesses qui s'effacent, dernier effort de démocratie, dernier signe indispensable d'un partage, d'une volonté au moins d'égalité, dernier indice d'un droit dont la valeur, ne serait-elle que symbolique, est irremplaçable – elle peut, vécue par des enfants d'avance sacrifiés, ressembler à une provocation. Et, quels que soient l'attitude, le sentiment des professeurs, elle se place dans le prolongement d'un mépris général et se déroule à même les terrains où ce mépris s'inscrit le mieux, à même des terrains qui en exhibent les conséquences.

L'enseignement ? Il pourrait s'agir, pour ces écoliers, d'un don, d'un partage de ce qui existe de meilleur, d'une part magique autorisée, mais aussi d'un unique, d'un ultime recours. Un minimum strictissime leur en est proposé, interrompu le plus tôt possible. Et cette notion de « chance ultime », qui souligne leur détresse et le péril qui les menace, suscite, chez les enseignants comme chez les élèves, une angoisse insidieuse qui exaspère les tensions.

S'exacerbe aussi la nostalgie des valeurs de l'autre bord, agitées, tentatrices, mais qui demeurent toujours aussi lointaines, toujours aussi inaccessibles. Interdites, en vérité. Et cela, d'autant qu'elles n'ont déjà plus cours ailleurs, malgré les apparences. Elles leur sont proposées comme on offrait à Alice, dans son pays aux merveilles maléfiques, des plats succulents mais fugaces, retirés dès avant qu'elle ait pu se servir. Cette promesse feinte de ce que l'on ne dégustera jamais appelle une autre métaphore : celle du fer remué dans la plaie.

Inculquer à des gosses les rudiments d'une vie qui leur est déjà interdite d'autre part, qui leur est d'avance confisquée (et qui, d'ailleurs, n'est plus viable), cela ne pourrait-il être tenu pour une mauvaise plaisanterie ? pour un affront supplémentaire ?

Comment les convaincre qu'il s'agit là d'un dernier effort républicain ? D'un dernier espoir pour la société qui les brime, oui, pour elle aussi ? Pour elle, surtout ! Comment leur faire entendre qu'elle est, comme eux, prise dans les mailles d'un filet, dans des « histoires » fictives, truquées, qui lui masquent son Histoire ?

Mais n'est-ce pas cela même, après tout, qu'il faudrait enseigner ?

Or, il se trouve qu'en regard de ces « histoires » ou de ce moment majeur de l'Histoire (dont certains voudraient nous faire croire qu'il s'agit de sa fin et que, sur elle, il n'y a plus rien à dire, puisqu'on n'en dit plus rien), les enfants de ces lieux perdus sont à l'avant-garde de notre temps. La société est aujourd'hui régressive. Pas eux. Elle est aveugle à sa propre Histoire, qui s'organise sans elle et l'élimine. Or, ces enfants se situent, eux, à la pointe de cette Histoire. Ils sont *déjà* mis sur la touche, et vivent moins rejetés par une société en fin de course, et qui prétend perdurer, qu'en avance sur elle. Ils figurent fort probablement les échantillons de ce qui attend la majorité des Terriens s'ils ne se réveillent pas ; s'ils n'envisagent pas de s'organiser au sein d'une civilisation reconnue, admise comme autre, déracinée, au lieu d'accepter de vivre, brimés, couverts de honte, selon les termes d'un âge disparu, et d'y dépérir, repoussés, passifs, avant peut-être d'y périr et de débarrasser ainsi les tenants d'une ère nouvelle de leurs présences superflues.

Ces enfants-là, ces précurseurs, on n'a pas même tenté, on n'a pas pris la peine de tricher avec eux, de leur donner le change, et le moindre de ces petits exclus, du fait qu'il est inscrit à même ce qu'il faut bien appeler notre... modernité !, du fait qu'il la subit dans sa crudité, qu'il n'y est pas résigné comme le sont les adultes, pressent ce que le grand nombre, ailleurs, ignore ou préfère ignorer.

Comment, d'instinct, n'aurait-il pas l'intuition de ce qu'il y a d'absurde à vouloir le conditionner à un programme qui l'exclut ? Un programme imperturbable, donné pour exemplaire, qui tente de s'insérer au sein de dégâts dont il ne tient pas compte, et qui dérivent de lui. Un programme où l'exclusion n'est pas mentionnée, où il n'est pas question d'y remédier, mais plutôt de justifier le système qui l'établit ou, du moins, y consent. Un programme institué par et pour une société qui semble en grande partie juger logique, désirable et même insuffisante l'exclusion de ces « jeunes » et des leurs. Un programme dans lequel les jeunes, censés l'intégrer, peuvent avoir l'impression d'y être tacitement retenus pour les rôles de parias.

Croit-on qu'il est encourageant de voir des gens de la même zone (les classes sociales se pensent aujourd'hui en termes de zones), des proches, parfois la famille même, souvent des voisins, expulsés en charters ou menacés de l'être, réprouvés par toute une société incapable encore de s'apercevoir qu'elle devient elle-même « globalement » superflue, implicitement indésirable ?

Car on peut être émigré, immigré *sur place* ; être, de par la pauvreté, en exil dans son propre pays. Mais les exclusions plus officielles ont une vertu certaine : elles persuadent ceux qu'elles épargnent qu'ils sont, eux, des inclus. Statut fictif auquel ils se cramponnent.

Ce que semblent pressentir les « jeunes » de ces quartiers, c'est que l'éducation leur est transmise par des gens eux-mêmes floués. En mauvaise position. Une éducation en somme perverse, puisqu'elle indique des perspectives qui leur sont (et leur seront) toutes fermées et qui, c'est peut-être pire, se ferment (et se fermeront) aussi à ceux qui les enseignent.

Et cela, encore une fois, on ne l'enseigne pas !

On n'enseigne pas non plus l'âpreté sordide des ghettos de la misère aux États-Unis, le grouillement des bidonvilles de Manille, des favelas de Rio, de tant d'autres ailleurs. Ignorée, cette géographie-là. La liste infernale des affamés d'Afrique, d'Amérique du Sud et d'ailleurs. Ce malheur chaque fois subi par un être conscient qui n'était pas fabriqué pour devenir un misérable, un affamé, une victime, même s'il y était destiné. Il faudrait tout de même comprendre que ces millions de scandales sont vécus un à un, qu'ils dévorent chaque fois une vie entière, unique, cette même entité précieuse, indéchiffrable qui se déploie et qui périt, du berceau à la tombe, en chacun de nous.

Cette horreur disséminée en d'autres corps que les nôtres et qui nous est synchrone, nous ne la « connaissons » pas, mais nous la « savons ». Et nous savons qu'elle se vit aussi parmi nous, à notre porte, moins brutale qu'en d'autres continents, mais sans doute plus solitaire, plus humiliée, plus accusée par l'opinion du fait qu'elle n'est pas ici le lot de tous. Plus bafouée, en somme, plus blessée par la nation qui l'« abrite ». Si mal.

Cela, les enfants d'exclus, ces enfants exclus, peut-être ont-ils à nous apprendre que nous le savons.

Certes, leur scolarité représente en théorie une arme contre l'excès, l'injustice, un dernier recours contre le rejet. Mais cela, l'écolier, comment l'intégrerait-il ? Lui en a-t-on donné les moyens ? Quelques preuves ? D'autant que, pour lui, tout comme pour les élèves de tout âge et de tout bord, l'accès au savoir a un aspect austère, souvent rébarbatif ; il réclame des efforts qui valent la peine d'être tentés pour s'initier à une société – mais pour s'initier à son rejet ?

De cette société donnée pour modèle par l'enseignement qui en provient, ces jeunes-là connaissent les coulisses, non pas celles du pouvoir, celles de ses résultats. Ce qui, d'ordinaire, est occulté, masqué, leur est familier. A travers les désordres, les carences de leurs vies quotidiennes, ne repèrent-ils pas inconsciemment ces failles irréversibles qui précèdent l'effondrement ?

Ils sont rejetés sur les bords de la route, mais sur cette route même on passe de moins en moins, tandis que viennent les rejoindre et s'échouer avec eux de plus en plus d'autres habitants de la planète, de toutes classes et de tous horizons.

Une route qui ne mène plus aux mêmes lieux. Où conduit-elle ? Nul ne sait. Ceux qui pourraient le savoir, les promoteurs de la nouvelle civilisation, ne la prennent pas non plus. Ils résident et circulent ailleurs, et ce paysage-là ne les intéresse guère, il fait déjà partie pour eux d'un passé destiné au folklore ou à l'oubli.

D'instinct, les enfants devinent sans doute que faire mine d'enseigner ou de faire enseigner comme actuel ce qui est cruellement anachronique, représente l'un des seuls moyens – le meilleur – de se persuader soi-même ; de continuer à vivre selon ce qui n'est plus, de l'homologuer, et de faire ainsi perdurer des illusions génératrices de malentendus funestes, de souffrances stériles.

On rejoint ici l'imposture générale qui impose les systèmes fantômes d'une société disparue et qui donne l'extinction du travail pour une simple éclipse. A quoi bon insister dès lors sur les problèmes des banlieues ? Ils ne figurent que les symptômes extrêmes de ce qui se produit à tous les niveaux de nos sociétés, mais selon des rythmes, des modes quelque peu différents... et différés. Partout sont ressentis la divergence, le hiatus, la distance entre le monde préconisé, codifié, que propose l'enseignement, et le monde qu'il vise, où il est enseigné, mais où il ne parvient plus à préserver son sens. A préserver *du* sens.

La diversité des disciplines, leurs contenus ne sont pas ici mis en question, au contraire. Puisque la voie des emplois se ferme, l'enseignement pourrait au moins se donner pour but d'offrir à ces générations-charnières une culture qui donnerait du sens à leur présence au monde, à leur simple présence humaine, leur permettant d'acquérir un aperçu des possibilités dévolues aux humains, une ouverture sur les champs de leurs connaissances. Et, par là, des raisons de vivre, des voies à frayer, un sens trouvé à leur dynamisme immanent.

Mais, plutôt que de préparer les générations nouvelles à un mode de vie qui ne passerait plus par l'emploi (devenu pratiquement inaccessible), on s'efforce au contraire de les faire entrer dans ce lieu obturé qui les refuse, avec pour résultat de les convertir en exclus de ce qui n'existe même pas. En malheureux.

Sous prétexte de viser un avenir qui n'était accessible que dans un contexte révolu, on s'entête à négliger, à rejeter ce qui, dans les programmes, ne lui était pas consacré, mais à conserver ce que l'on imagine nécessaire pour atteindre à un avenir déjà disparu. Parce que l'avenir prévu ne se déroulera pas, on n'envisage d'autre avenir que d'être privé de lui. Parce que ces jeunes n'ont rien, on leur retire tout, et d'abord ce qui paraît gratuit, d'un luxe inutile, et qui touche au culturel : ce qui demeure du domaine de l'humain, le seul pour lequel ces groupes en nombre incommensurable, bannis du monde économique, ont encore vocation.

La tendance est au contraire d'estimer qu'on ne les prépare pas assez – et pas assez directement – à l'entrée dans des entreprises qui ne veulent pas d'eux, auxquelles ils ne sont plus nécessaires, mais pour lesquelles on voudrait les « former », et à rien d'autre. On se crispe (du moins estime-t-on qu'il le faudrait) dans l'obsession d'aller au plus « réaliste », c'est-à-dire à ce qui est en vérité le plus « rêvé », le plus fictif. Et l'on se fixe un seul but, auquel on se reproche de ne pas assez tenir : inscrire au plus tôt les élèves dans un monde du salaire qui n'existe plus. On juge qu'il faudrait élaguer peu à peu les matières, les circuits qui ne sembleraient pas devoir faire basculer écoliers, lycéens, collégiens, étudiants, directement dans un emploi. On recommande de viser de plus en plus exclusivement une « insertion professionnelle » qui, bien entendu, ne se produira pas. Cela s'appelle être « concret ».

Quant aux bimbeloteries sans avenir, foin de ces fantaisies incongrues ! Quelques jeunes (sans guillemets), ceux des familles fréquentables, seront initiés à la pensée ; ils seront appelés à connaître, admirer les œuvres artistiques, littéraires, scientifiques et autres, de ceux qui entrent dans la catégorie fort acceptable, en somme, des « fournisseurs » de leurs familles. Certains d'entre eux se joindront à ces groupes quelque peu irresponsables, socialement honorables, toutefois, et souvent même flatteurs. Voire – à petite dose – rentables. N'ont-ils pas leurs marchés ?

Mais, remarqueront fort sagement quelques âmes songeuses, ces choses tout de même superflues, à quoi bon les enseigner aussi à des gens inutiles ? Est-ce bien raisonnable économiquement ? Et pourquoi leur donner les moyens de s'éveiller à leur situation, d'en souffrir davantage, de la critiquer, alors qu'ils se tiennent si tranquilles ? Mieux vaut les caser plus avant, les enfoncer davantage dans leur condition de « chercheurs d'emplois », occupation qui les tiendra sages comme des images pour un bon bout de temps. « Mis de côté », l'expression est de Van Gogh. Comme aussi celle où l'on voit qu'il avait tout compris, et ces jeunes peuvent en prendre de la graine : « Il vaut mieux que je sois comme n'étant pas. »

Si, pour « être » (ou pour être « comme n'étant pas »), tout le monde ne pouvant devenir peintre, et moins encore devenir ce peintre-là, beaucoup deviennent « zoneurs », « délinquants », ce ne sera qu'une preuve de plus de leurs mauvaises natures.

Au passage, puisqu'ils sont là, malgré tout, pourquoi ne pas profiter de la conjoncture pour obtenir les quelques apprentis, les quelques employés encore parfois nécessaires, fournis, formés dès lors aux frais de la princesse, et livrés clés en main ? On aurait tort de s'en priver. Sitôt dit, sitôt fait. Remarquables initiatives. Les CES, les CIS, les exonérations, les subventions pleuvent, entre autres menues attentions en faveur des « forces vives », les mettant à même d'étendre leurs bienfaits et de mieux laisser rayonner leur amour du prochain.

Nos systèmes entendent, affirment-ils, reposer pour beaucoup sur cet amour irrépressible des décideurs pour leurs supposés prochains, à défaut de... semblables ! Aussi conjurent-ils l'entreprise de se dire « citoyenne », et « l'entreprise citoyenne », une fois proclamée telle, de se montrer effectivement civique. Ils ne l'y obligent pas, ils l'y invitent, certains de ses heureux penchants. Ainsi sollicitée, comment envisager un seul instant qu'une fois avertie de ce qui est bien et de ce qui est mal elle n'opte pas pour le bien ?

Saluons au passage le système : l'« entreprise citoyenne » – aucun surréaliste n'eût osé l'inventer !

Toutefois, « citoyenne » ou invitée à le devenir, et supposée pencher pour le bien, l'entreprise se voit offrir ces mille subventions, exonérations, possibilités de contrats avantageux pour elle afin qu'elle embauche. Et ne délocalise pas. Bienveillante, elle prend. N'embauche pas. Délocalise ou menace de le faire si tout ne se passe pas à son gré. Le chômage croît. On recommence.

Mais au nom de quoi, Dieu du ciel, le pays entier

crut-il et les autres pays, et les partis de gauche les premiers, et des années durant, que la prospérité des sociétés équivaudrait à celle de la société, que la croissance créerait des emplois ? Et ils le croient encore, s'y efforcent ou du moins le prétendent ! Nous observions en 1980 : « Les partis ouvriers exigent le financement par l'État d'entreprises privées qui pourront continuer à les exploiter au mieux de leurs profits et produiront tour à tour des emplois, du chômage, selon les fatalités du jour, les cours de la Bourse, le vent des crises et les crises dans le vent[1]. »

Il a toujours été prévisible que l'« aide à l'entreprise » ne créerait pas d'emplois, du moins pas, et de très loin, dans les proportions prophétisées. Il y a dix ou quinze ans, développer cela eût été audacieux, on n'avait encore que peu de preuves. C'est devenu une évidence. On n'en persévère pas moins !

Nul ne semble se demander par quelle opération miraculeuse la misère due au chômage se traduit par des avantages consentis sans résultat aux sociétés qui, elles, crient misère alors que, dans l'ensemble, le monde économique se porte fort bien. Et mieux encore d'être ainsi sollicité, choyé en vain, estimé capable de cette bienveillante bonté que l'on attend de lui en vain et qui consisterait à bien vouloir embaucher avec les fonds qui lui sont généreusement attribués pour le faire, tandis que le chômage s'épanouit[2].

---

1. *La Violence du calme, op. cit.*
2. En 1958, la France comptait 25 000 chômeurs. Aujourd'hui, en 1996, elle en compte près de 3,5 millions. Ce n'est pas un privilège français, de loin pas. Le phénomène est planétaire. On compte environ 120 millions de chômeurs dans le monde, dont environ 35 millions dans les pays industrialisés ; 18 millions en Europe. (Source : *Les Coulisses de l'emploi*, M. Hassoun, F. Rey, Arléa, 1995.)

Mais pourquoi charger les entreprises d'un fardeau moral auquel elles n'ont pas vocation ? Ce serait aux pouvoirs politiques de les y obliger. Les en « prier » n'est sur elles d'aucun résultat : quelques effets de manches censés donner un gage fort vague au public. Les gouvernements qui susurrent leurs timides suggestions ne sont pas sans savoir qu'en y répondant favorablement elles seraient félonnes à leurs propres intérêts, qui sont toute leur raison d'être et fondent leur déontologie.

Pourquoi, surtout, ne pas faire face à cette réalité : les entreprises n'embauchent pas pour l'excellente raison qu'elles n'en ont pas besoin. C'est cette situation-là qu'il faut affronter, c'est-à-dire, tout simplement, une métamorphose. Quoi de plus impressionnant, de plus... terrifiant et qui demande, pour y faire face, un degré d'imagination surhumain ? Qui en aura le courage ? le génie ?

En attendant, les entreprises bénéficiaires continuent de se débarrasser en masse de leurs effectifs, et c'est tenu pour monnaie courante. Les « restructurations » abondent, aux résonances vigoureuses et constructives, mais qui comprennent avant tout ces fameux « plans sociaux », autrement dit ces licenciements programmés qui cimentent aujourd'hui l'économie ; pourquoi se scandaliser au prétexte qu'elles déstructurent, en vérité, des vies entières, des familles, et annulent toute sagesse politique ou économique ? Faudrait-il dénoncer aussi tous ces termes hypocrites, scélérats ? En publier un dictionnaire ?

Répétons-le : la vocation des entreprises n'est pas d'être charitables. La perversité consiste à les présenter comme ces « forces vives » qui suivraient d'abord des impératifs moraux, sociaux, ouverts sur le bien-être général, alors qu'elles ont à suivre un devoir, une éthique, certes, mais qui leur commandent de faire du profit, ce qui est en soi tout à fait licite, juridiquement sans tache. Oui, mais de nos jours, à tort ou à raison, l'emploi représente un facteur négatif, hors de prix, inutilisable, nuisible au profit ! Néfaste.

On ne nous en donne pas moins les « créations de richesses » pour seules capables de mobiliser les « forces vives », et ces forces vives pour seules capables de susciter, grâce à ces richesses, une croissance qui se traduirait aussitôt en emplois. Comme si l'on pouvait ignorer que nous vivons un temps où ce relais pris autrefois par le travail, alors indispensable, n'a plus de raison d'être une fois celui-ci devenu superflu.

L'emploi si chanté, invoqué, bercé de tant d'incantations, n'est tenu par ceux qui pourraient le distribuer que pour un facteur archaïque, pratiquement inutile, source de préjudices, de déficits financiers. La suppression d'emplois devient un mode de gestion des plus en vogue, la variable d'ajustement la plus sûre, une source d'économies prioritaire, un agent essentiel du profit.

Quand en tiendra-t-on compte, non pour s'en indigner ou s'y opposer, mais pour en repérer la logique ? Et, puisque l'on n'a pas la capacité ni la volonté d'aller contre elle, pour au moins cesser d'être dupe et de faire le jeu des propagandes politiques qui bercent de promesses jamais gratuites, ou celui des intérêts économiques qui trouveront encore quelques avantages à tirer de ces situations tant qu'elles ne seront pas mises au clair ? Et pour trouver d'autres voies. Pour quitter celles, périlleuses, sur lesquelles on nous dirige et où d'ailleurs nous nous obstinons.

Combien de temps ceux qui sont éveillés vont-ils faire semblant de dormir ?

Quand nous apercevrons-nous, par exemple, que les « richesses » ne se « créent » plus tant à partir de « créations » de biens matériels qu'à partir de spéculations tout à fait abstraites, sans liens – ou fort lâches – avec des investissements productifs ? Les « richesses » mises en vitrine ne sont plus, en grande partie, que de vagues entités qui servent de prétextes au déploiement de « produits dérivés », lesquels n'ont plus grand rapport avec elles.

« Produits dérivés » qui envahissent aujourd'hui l'économie, la réduisent à des jeux de casino, à des pratiques de *bookmakers*. Les marchés des produits dérivés sont aujourd'hui plus importants que les marchés classiques. Or, cette nouvelle forme d'économie n'investit plus, elle mise. Elle tient de l'ordre du pari, mais de paris sans enjeux réels, où l'on ne mise plus tant sur des valeurs matérielles ou même sur des échanges financiers plus symboliques (mais encore indexés à la source, fût-elle lointaine, sur des actifs réels) que sur des valeurs virtuelles inventées à seule fin de nourrir ses propres jeux. Elle consiste en paris engagés sur les avatars d'affaires qui n'existent pas encore, qui n'existeront peut-être pas. Et, à partir de là, relativement à elles, sur des jeux autour de titres, de dettes, de taux d'intérêt et de change, dès lors détournés de tout sens, relatifs à des projections purement arbitraires, proches de la fantaisie la plus débridée et de prophéties d'ordre parapsychique. Elle consiste surtout en paris engagés sur les résultats de tous ces paris-là. Puis sur les résultats des paris pris sur ces résultats, etc.

Tout un trafic où l'on achète et vend ce qui n'existe pas, où s'échangent non pas des actifs réels ni même des symboles basés sur ces actifs, mais où l'on achète, où l'on vend, par exemple, les risques pris par des contrats à moyen ou long terme et qui sont encore à conclure, ou qui ne sont qu'imaginés ; où l'on cède des dettes qui seront à leur tour négociées, revendues, rachetées sans limites ; où l'on conclut, le plus souvent de gré à gré, des contrats portant sur du vent, sur des valeurs virtuelles non encore créées mais déjà garanties, qui susciteront d'autres contrats, toujours conclus de gré à gré, portant sur la négociation de ces contrats-là ! Le marché des risques et des dettes permet de se livrer en toute fausse sécurité à ces petites folies.

On négocie sans fin ces garanties sur du virtuel, on trafique autour de ces négociations. Autant de négoces imaginaires, de spéculations sans autre objet ou sujet qu'elles-mêmes et qui forment un immense marché artificiel, acrobatique, basé sur rien, si ce n'est sur lui-même, loin de toute réalité, sinon la sienne, en cercle clos, fictive, imaginée et compliquée sans cesse d'hypothèses débridées à partir desquelles on extrapole. On y spécule à l'infini, en abyme, sur la spéculation. Et sur la spéculation des spéculations. Un marché inconsistant, illusoire, fondé sur des simulacres, mais enraciné là, délirant, halluciné au point d'en être poétique.

« Des options sur des options sur des options », riait à ce propos, tout de même un peu effarouché comme par des enfants terribles, l'ex-chancelier Helmut Schmidt, l'autre soir, sur Arte[1]. Il confirmait que sur ces marchés surréalistes se faisaient « cent fois plus d'échanges » que sur les autres.

Ainsi, cette fameuse économie de marché tenue pour fondamentale, sérieuse, responsable des populations, une puissance en soi – *la* puissance, en vérité – est mise sous la coupe, prise dans la fièvre, on peut dire la drogue dure de tractations, de manipulations

_____

1. 8 avril 1996.

autour de leurs propres traficotages, lesquels débouchent d'ailleurs sur des gains gigantesques, rapides, brutaux, mais qui semblent presque secondaires en regard de l'ivresse opérationnelle, du plaisir maniaque, du pouvoir démentiel, inédit, qu'ils suscitent.

Voilà le sens que prennent les « créations de richesses » : elles deviennent les prétextes lointains, de plus en plus évanescents, superflus eux aussi, à ces opérations obsessionnelles, à ces danses de Saint-Guy dont dépendent de plus en plus la planète, et la vie de chacun.

Ces marchés ne débouchent sur aucune « création de richesses », aucune production réelle. Ils ne nécessitent pas même de sites immobiliers. Ils n'emploient guère de personnel, puisqu'à la limite il suffit d'un ou de quelques téléphones et ordinateurs pour brasser des marchés virtuels. Or, sur ces marchés, qui n'impliquent pas le travail d'autrui, qui ne sont pas producteurs de biens réels, les entreprises (entre autres) investissent, de plus en plus souvent, de plus en plus de parts de leurs bénéfices, le profit y étant plus rapide, plus important qu'ailleurs, et c'est à permettre de tels jeux néo-financiers, autrement plus fructueux, qu'aboutissent bien souvent les subventions, les avantages concédés afin que ces mêmes entreprises embauchent !

Dans ce contexte, créer des emplois à partir des « créations de richesses » relèverait de l'humanitaire, puisque la croissance (en fait, du seul profit) ne débouche pas sur le développement ni même sur l'exploitation de produits terrestres, mais sur ces étranges piétinements oniriques, et certainement pas, et plus du tout sur la nécessité d'un labeur humain, *a fortiori* d'un labeur accru. Elle représente souvent, en revanche, l'occasion d'installer ou de perfectionner les systèmes technologiques, la robotisation capables de réduire, au

105

contraire, le potentiel humain, donc d'économiser sur le coût salarial.

Des sociétés en plein essor, bénéficiaires, licencient en masse, on le sait. Rien n'est plus avantageux, selon les spécialistes. D'autant qu'on ne leur consent pas moins des « aides à l'emploi », sans leur demander de comptes, sans les obliger en rien à embaucher comme il était prévu. A peine leur insinue-t-on (avec le succès qu'on imagine !) de ne pas employer ces dons inconditionnels à des fins plus avantageuses. Que croyez-vous qu'elles font ?

On se surprend ici à jouer avec des pensées coupables : et si la croissance, loin d'être créatrice d'emplois, créait plutôt leur suppression, dont souvent elle découle ? L'inaptitude flagrante à gérer l'économie sociale ne permet-elle pas, au contraire, une gestion plus rationnelle des marchés financiers ?

Ainsi pouvait-on lire ces jours-ci : « Convaincre les entreprises de participer à l'"effort national pour l'emploi" est une chose, mais décourager les plans de restructuration en est une autre. *Pourtant largement bénéficiaires en 1995*[1], des fleurons de l'industrie comme Renault, IBM, GEC-Alsthom, Total ou Danone ont planifié de sérieuses réductions de personnel pour 1996... Sans compter les plans sociaux qui sommeillent. » Dans quelle presse syndicale ou de gauche trouve-t-on ces propos subversifs ? Eh bien... dans *Paris Match*[2] !

A la fin des années 70 et dans les années 80 – mais cela se poursuit –, l'entreprise était si sacralisée que, pour la préserver ou l'amener à devenir toujours plus florissante, tous les sacrifices valaient. Elle en venait

---

1. Nous soulignons. *(N.d.A.)*
2. 21 mars 1996.

à expliquer doctement qu'afin d'éviter le chômage, il lui fallait licencier. Comment, dès lors, ne pas l'y encourager, et avec émotion ?

Aujourd'hui, toujours prête à se sacrifier, elle fait mieux : elle « dégraisse ». Cette expression, dont on appréciera l'élégance, signifie supprimer la mauvaise graisse que sont censés représenter des femmes et des hommes qui travaillent. Oh, la question n'est pas de les supprimer, eux : faire de leur graisse du savon, de leur peau des abat-jour, serait de mauvais goût, démodé, pas dans l'air du temps ; on ne supprime que leur travail, ce qui les met après tout dans le vent. Chômeurs ? Il faut savoir être de son époque.

Savoir surtout prendre ses responsabilités. « Dégraisser », économiser sur le coût de l'emploi, représente l'un des meilleurs facteurs d'économies. Dans le même discours, combien d'hommes politiques, de dirigeants d'entreprises, jurent de créer des emplois et se vantent de réduire les effectifs !

Au cours d'une table ronde réunie dans l'enceinte du Sénat [1], M. Loïc Le Floch-Prigent [2] souhaitait à ce propos que l'on cesse, au sein des entreprises, « de valoriser les diminutions d'emploi », considérant − et démontrant de la sorte − que c'est chose courante, un procédé routinier.

Le non-travail des non-salariés représente, en fait, une plus-value pour les entreprises, donc une contribution aux célèbres « créations de richesses », un bénéfice en quelque sorte pour ceux qui ne les emploient pas ou, surtout, qui ne les emploient plus. Ne serait-il pas juste que leur revienne une part du

---

1. Sénat, *Salon du livre politique,* 13 avril 1996.
2. Alors PDG de la SNCF.

profit généré par leur absence, une part des intérêts acquis à ne pas les employer ?

Mais ces économies sur le coût du travail ne sont-elles pas supposées déboucher sur des possibilités accrues de favoriser quelques-unes des incontournables « créations de richesses » dispensatrices, c'est bien connu, d'emplois ? Remarquer que les richesses ainsi créées n'ont pour effet que d'accroître quelques fortunes serait vraiment mesquin.

Alors que les décideurs, les dirigeants d'entreprises sont si généreux ! Prenons-en de la graine, écoutons l'un d'eux, c'est à la radio [1] : les entreprises ont, selon lui, une mission à laquelle il s'agit de donner un sens, et ce sera, nous annonce-t-il, le « sens de l'humain ». Rien de surprenant : l'entreprise est « citoyenne », il le confirme ; sa seule loi : le « civisme ». Elle mène une guerre économique, et c'est « une guerre pour l'emploi ». Il remarque néanmoins qu'« une société ne peut partager que les richesses qu'elle produit ». (L'auditeur songe alors qu'elle peut aussi ne pas les partager !) Notre humaniste observe tout de même qu'il existe « une logique de la rentabilité à ne pas oublier ». De ce fait, « embaucher pour embaucher » ? Le voici perplexe, fort dubitatif. Il décide : « Quand la croissance permettra le recrutement. » Il ne dit pas quel degré de croissance autorisera ce geste valeureux, mais il semble soudain plus gai, décidément davantage à son affaire. On entend : « Gagner des marchés, être plus productif » ; il s'anime jusqu'à donner une recette : « Alléger l'entreprise. » Sa voix sonne allègre à présent, prolixe, elle chante : « Coût horaire diminué... charges sociales allégées... protection sociale aussi... »

---

1. France-Culture, entretien D. Jamet, J. Bousquet, août 1996.

Ou bien, toujours sur les ondes [1], c'est le président du CNPF, le patron des « forces vives » de ce pays, qui, à propos d'avantages récemment consentis (offerts avec enthousiasme, plutôt) à ses troupes afin toujours qu'elles embauchent, se montre réticent non à accepter d'en profiter, ce qu'avec ses ouailles il s'apprête à faire, mais à ce qui leur est demandé (timidement suggéré, plutôt) en retour. Assez scandalisé, il finit par admettre que chez Untel, dans telle entreprise, on pourra *peut-être*, grâce aux subventions accordées pour embaucher, « faire l'effort de diminuer un peu le taux de licenciement annuel, qui est de 5 % » ! D'ailleurs, « parler de contrepartie en ce domaine dénote une mauvaise compréhension de la réalité économique [2] ». Mais, toujours à la radio, il suggère plutôt de « réduire les dépenses publiques au lieu d'imposer les entreprises, qui créent de l'emploi ». Il estime que « ce n'est pas à la justice de s'occuper des licenciements... Sur le reclassement, laissez-nous faire comme nous l'entendons ». Et de reconnaître enfin qu'il existe des « moments politiques où il n'est pas opportun d'annoncer des plans sociaux », alors qu'il est cependant « nécessaire de dégraisser pour s'adapter à la situation mondiale ». On s'en doutait un peu.

Mais ces élans altruistes sont eux-mêmes encadrés, et même déterminés, commandés par des organisations mondiales (Banque mondiale, OCDE, FMI, entre autres) qui ont la haute main sur l'économie planétaire, c'est-à-dire sur la vie politique des nations, cela, en harmonie avec les puissances économiques privées, lesquelles sont en vérité bien plus en accord entre elles qu'en compétition !

---

1. RTL, 8 juillet 1995.
2. *Tribune Desfossé,* 30 mai 1994.

Tandis que les nations et leurs classes politiques semblent si chagrines en raison du chômage et se proclament ardemment mobilisées contre lui, qui les obsède nuit et jour, l'OCDE publie dans un rapport[1] une opinion plus... nuancée : « Pour obtenir un ajustement donné des salaires, il faudra un niveau plus élevé du chômage conjoncturel », y déclare-t-on.

Toujours dans la même verve fraternelle et conviviale, on y précise, comme on donnerait dans la presse du cœur la recette pour attirer et garder l'homme ou la femme de sa vie : « L'empressement des travailleurs à accepter des emplois faiblement rémunérés dépend en partie de la générosité relative des prestations de chômage... Il y a lieu, dans tous les pays, de raccourcir la durée des droits lorsqu'elle est trop longue ou de rendre les conditions d'admission plus strictes[2]. » Voilà qui est parler.

Les puissances économiques privées, internationales, multinationales, transnationales, ne s'encombrent pas du souci de plaire, hantise des pouvoirs politiques. On ne fait pas de charme ici, on ne lance pas d'œillades à des électorats. Pas de papotage, d'états d'âme ; pas de maquillage. On joue cartes sur table, entre soi. Le but : aller à l'essentiel. Comment gérer le profit ? Comment le susciter ? Comment faire fonctionner l'entreprise planétaire au bénéfice des « forces vives » unies ?

Ainsi, la Banque mondiale va droit au fait, sans

1. *Étude de l'OCDE sur l'emploi,* Paris, juin 1994. Cité par Serge Halimi in « Sur les Chantiers de la démolition sociale », *Monde diplomatique,* juillet 1994.

2. Banque mondiale, *World Department report, workers in an integrating world,* Oxford University Press, 1995. Cité par Jacques Decornoy in « Pour qui chantent les lendemains », *Monde diplomatique,* septembre 1995.

manières ni circonlocutions : « Une flexibilité accrue du marché du travail – en dépit de sa mauvaise réputation, le mot étant un euphémisme renvoyant à des baisses de salaire et à des licenciements – est essentielle pour toutes les régions entreprenant des réformes en profondeur. » Le FMI renchérit : « Il ne faut pas que les gouvernements européens laissent les craintes suscitées par les retombées de leur action sur la répartition des revenus les empêcher de se lancer avec audace dans une réforme de fond des marchés du travail. L'assouplissement de ceux-ci passe par la refonte de l'assurance-chômage, du salaire minimum légal et des dispositions qui protègent l'emploi[1]. »

Contre les exclus, la bataille gronde. Ils tiennent décidément trop de place. Nous le disions plus haut : ils ne sont de loin pas assez exclus. Ils agacent.

Mais l'OCDE sait comment s'y prendre avec ces gens qui ne travaillent que poussés au cul par la misère. Son rapport sur l'emploi, sur les « stratégies » préconisées pour obtenir « l'empressement des travailleurs », est, nous l'avons vu, des plus explicites. D'ailleurs, « beaucoup des nouveaux emplois sont à faible productivité [...]. Ils ne sont viables qu'assortis d'un salaire très bas[2] ». Mais cela joue sur une gamme infiniment plus large d'emplois, donc « une proportion importante de salariés restera sans emploi, à moins de rendre les marchés du travail plus flexibles, particulièrement en Europe ». CQFD !

Autrement dit, les employeurs (qui, il est vrai, n'ont pas pour fonction d'être « sociaux ») ne consentent à

---

1. *Bulletin du FMI,* 23 mai 1994, cité par Serge Halimi, *op. cit.*
2. *Bulletin de l'OCDE,* juin 1994, cité par Serge Halimi, *op. cit.*

faire quelques efforts languissants pour embaucher ou pour ne pas licencier des travailleurs que si ces travailleurs sont mis en condition d'accepter n'importe quoi. Ce qui est d'ailleurs la moindre des choses : étant donné l'état dans lequel on les a mis déjà, et celui dont ils sont menacés, ils ne sont pas en mesure de faire les dégoûtés.

Il est donc normal de disposer de ces oiseux, de discuter à leur propos sans qu'ils aient accès à ces discussions. Normal encore que ceux qui détiennent la dignité puissent parler à leur place, et puissent envisager de les dresser comme on ferait d'animaux, avec des méthodes efficaces comme celle qui consiste à les inscrire pour leur bien dans une « insécurité » méthodiquement étudiée, délibérément organisée, aux retombées cependant si douloureuses qu'elles peuvent saccager des vies, les abréger parfois.

N'est-ce pas faire acte de charité que de s'occuper d'eux ?

Mais que fait-on d'autre, en vérité ? Chaque instant leur est dédié, chaque acte. Il n'est rien dans l'organisation mondiale, mondialisée, globalisée, dérégularisée, déréglementée, délocalisée, flexibilisée, transnationalisée, qui n'agisse en leur défaveur. Rien qui ne milite contre eux.

Ne serait-ce que par cette étrange manie de vouloir à tout prix caser la population dans des emplois inexistants, et des emplois dans une société qui n'en a manifestement plus besoin. Mais de se refuser à chercher des voies autres que celles, si évidemment oblitérées, défuntes, qui prétendent mener encore vers ces emplois, et sont dévastatrices.

Manie de s'acharner à faire se perpétuer le malheur dû aux « horreurs économiques » évoquées par

112

Rimbaud, et de les donner pour un phénomène naturel, antérieur à tous les temps.

Voici la description de la situation aux États-Unis donnée par M. Edmund S. Phelps [1], économiste notoire, auteur, professeur à l'Université de Columbia, un modéré qui analyse sans passion les avantages et les inconvénients des différents modèles de réactions économiques au chômage. Voici d'abord les bienfaits des restructurations qui, grâce à « l'insécurité qui pèse ainsi sur les travailleurs, permettent aux employeurs de réduire leurs coûts salariaux, de créer des emplois [...] en particulier dans des activités de services [qui ne sont] pas seulement mal payées, mais précaires ».

Voici ensuite toujours décrit par M. Phelps, l'homme idéal dont rêve l'OCDE : « Le salarié américain qui perd son job doit impérativement retrouver un emploi le plus rapidement possible. Les allocations de chômage ne représentent qu'une part très faible de son salaire d'origine. Elles ne lui seront versées que pendant six mois au maximum. Elles ne seront complétées par aucune aide sociale (au logement, à l'éducation...). Bref, il se retrouve nu et ne vit plus que sur ses propres moyens. » (On se demande lesquels !) « Il lui faut rapidement trouver et accepter un emploi, même si celui-ci ne correspond pas à ce qu'il recherche. » L'ennui, c'est que « pour les travailleurs sans qualification, il est souvent difficile de trouver un emploi, même très mal payé ».

Ce que déplore surtout M. Phelps, c'est que « ces chômeurs s'engagent alors dans des activités annexes : ils font la manche, le commerce de la drogue, les petits trafics de la rue. La criminalité se développe. Par ces

---

1. *Le Monde,* 12 mars 1996.

réseaux, et d'une certaine manière, ils ont créé leur propre "État-providence". » Cela fait nettement désordre, et retient M. Phelps de condamner le système de protection sociale européen, dont l'avantage, selon lui, est d'éviter le degré de délinquance créé par son absence aux États-Unis, mais dont le tort tient à ce qu'il tendrait « à réduire l'incitation à rechercher un emploi ».

Nous y voilà encore. Pourtant (et le salarié américain, « incité » à mort, et « nu », en sait, lui, quelque chose), M. Phelps n'ignore point qu'il n'y a pas pléthore d'emplois, qu'il n'y en a pas des multitudes, et que le pire dénuement, la quête la plus farouche ne suffisent pas pour atteindre au moindre quart d'heure laborieux. Que le chômage est endémique, permanent. Qu'être « incité » à chercher du travail, c'est presque toujours l'être à n'en pas trouver. Que cette recherche désespérante et désespérée, d'innombrables chômeurs s'y adonnent avec ce que cela coûte financièrement en timbres, appels téléphoniques, déplacements, pour le plus souvent ne pas même obtenir de réponse. D'ailleurs, étant donné l'évolution démographique, il faudrait pour établir ou rétablir une situation décente sur cette planète, y créer un milliard d'emplois nouveaux dans les dix ans à venir, alors que l'emploi disparaît ! M. Phelps doit savoir que le problème n'est pas d'inciter à chercher un emploi, mais de permettre d'en trouver, puisque c'est le seul schéma qui permet de survivre. A t-il songé à l'alternative : changer ce schéma ?

Il sait surtout que ce ne sont pas les « chercheurs » d'emplois qui manquent : ce sont les emplois !

Mais « chercher de l'emploi » doit relever du domaine des occupations pieuses ! Car, que l'on sache, la recherche d'emplois ne crée pas ces emplois ! Avec

114

tous les « incités » qui s'y efforcent, avec tous ceux qui, au cours de ces vaines recherches, en rêvent comme d'un Graal, cela se saurait ! Avec tous ceux qui acceptent ces pis-aller presque toujours précaires et qui leur permettront donc de reprendre bientôt cette recherche si recommandée – ces petits boulots, ces intérims, ces stages, ces formations bidon et autres ersatz de travail où ils se font si souvent exploiter –, avec tous ceux qui s'effondrent, faute d'avoir rien trouvé, si la demande « incitait » des emplois, nous en aurions eu quelque écho !

Mais est-ce vraiment à chercher des emplois introuvables que l'on est « incité » ? Est-ce vraiment là l'enjeu ? Ne serait-ce pas plutôt d'obtenir, pour le peu de travail encore nécessaire, un prix encore plus bas, le plus voisin de rien ? Et, par là, d'accroître l'insatiable profit ? Non sans souligner en passant la culpabilité de victimes jamais assez assidues à mendier ce qu'on leur refuse et qui, d'ailleurs, n'existe plus.

Il serait temps ! M. Gary Becker[1], prix Nobel d'économie, nous tance, déplorant, indigné, « le caractère généreux des prestations sociales » de « certains gouvernements européens » qui ont aussi, « de manière insensée, augmenté le salaire minimum à 37 francs l'heure ». Il diagnostique là « une maladie grave », non sans nous avoir averti que « lorsque le travail est cher et les licenciements difficiles, les entreprises sont réticentes à remplacer des travailleurs qui *quittent*[2] l'entreprise ». On s'en doutait. Et l'on se prend à regretter

---

1. *Le Monde,* 28 mars 1996.
2. Nous soulignons. On appréciera l'euphémisme ! Par ailleurs, la pensée beckérienne nous laisse particulièrement perplexe lorsque son détenteur déclare : « Si l'impôt, tout comme la mort, est inévitable... » Nous laisserons à la psychanalyse le soin d'interpréter cette étrange assertion. *(N.d.A.)*

que M. Becker n'ait pu rencontrer la nounou Beppa : nul doute qu'ils eussent échangé, sur les « poules aux œufs d'or », des propos fructueux !

En vérité, ce n'est pas d'incitation à chercher de l'emploi qu'il est question, mais d'incitation à se faire exploiter, à se considérer comme prêt à tout pour ne pas périr de misère, pour ne pas cesser d'être un exclu... mais parce que l'on aura été définitivement éjecté de la vie.

C'est aussi affaiblir, anéantir moralement (physiquement aussi) ceux qui pourraient, autrement, devenir un danger pour la « cohésion sociale ».

C'est, surtout, conditionner d'avance au pire les populations qui auront à l'affronter, afin qu'alors, précisément, elles ne l'affrontent pas, mais le subissent, déjà anesthésiées.

Quant au profit, si déterminant, il n'en a pas été fait mention. C'est l'habitude. Comme d'inverser la question, et de prétendre s'intéresser au seul sort de ceux qu'en vérité on n'en finit pas de pressurer, et auxquels il reste de prier que cela se poursuive : entités pressurables, ils sont encore tolérés. Sinon...

Mais rassurons-nous, ils le sont encore, pressurables ! Rappelons-nous comment M. Phelps, un modéré, démontrait que si l'on recherche à tout prix « de l'emploi » devenu inaccessible, et si, en même temps, outre cette quête pénible, outre le manque de ressources, outre la perte (ou la menace de perte) d'un toit, outre le temps passé à se faire jeter, outre le mépris des autres et la dépréciation de soi, outre la vacuité d'un avenir terrifiant, outre le délabrement physique dû à la pénurie, à l'angoisse, outre le couple, la famille fragilisés, souvent éclatés, outre le désespoir – si, outre tout cela, on se trouve en même temps acculé à encore davantage d'« insécurité », cette fois techniquement prévue, si l'on se retrouve sans aide ou (à la limite) avec une aide calculée pour être insuffisante, du moins plus insuffisante encore, on sera prêt à accepter, supporter, subir n'importe quelle forme d'emploi, à n'importe quel prix, dans n'importe quelles conditions. Voire à n'en même pas trouver.

Or, la seule raison qui puisse « inciter » ses détenteurs à procurer le peu de travail dont ils disposent encore, c'est de pouvoir se procurer, eux, ce travail aux tarifs de misère acceptés par des malheureux coincés dans l'« insécurité ». Créer de l'emploi, peut-être, mais créer d'abord cette insécurité ! Ou, mieux encore, aller la chercher là où elle est, sur certains continents.

Bien entendu, parmi les masses dont on aura projeté de sang-froid l'insécurité, seul un maigre pourcentage d'individus bénéficieront de ces emplois au rabais qui ne les sortiront guère de la misère. Pour les autres, ne demeurera que l'insécurité. Et son cortège d'humiliations, de privations, de dangers. L'abréviation de certaines vies.

Le profit, lui, aura profité.

En certains points de la planète, l'« incitation » au travail bat son plein. La pénurie, l'absence de toute protection sociale y ramènent le coût de la main-d'œuvre et du travail à presque rien. Un paradis pour les firmes, une chaîne de rêve à laquelle s'ajoute celle des paradis fiscaux. Nos « forces vives », oubliant volontiers qu'elles sont celles « de la nation », n'hésitent pas, pour beaucoup d'entre elles, à se ruer, se ressourcer là-bas.

D'où ces délocalisations qui font des ravages, retirent brutalement leurs emplois aux habitants de localités entières, ruinent parfois une région, appauvrissent la nation. L'entreprise disparue vers d'autres cieux ne paiera plus d'impôts dans les lieux qu'elle aura quittés, mais ce seront l'État, les collectivités laissés en plan qui devront financer le chômage qu'elle aura créé – c'est-à-dire financer les choix qu'elle aura faits à son profit et à leur détriment ! Un financement de longue haleine, car, pour les licenciés devenus chômeurs de manière si arbitraire, il ne sera pas question de retrouver rapidement de l'emploi dans des secteurs géographiques et professionnels ainsi sinistrés, et difficile parfois d'en retrouver jamais.

Quant aux fuites de capitaux hors de tout circuit fiscal, elles priveront de ressources les structures économiques et sociales de l'État escroqué. Peut-être

s'agit-il d'une illusion d'optique, mais on a comme la vague impression que les détenteurs de « richesses » évadées ne sont autres que... les admirables « forces vives » de « la nation » lésée !

Mais qui s'en indignerait vraiment, hormis certains spécialistes ? L'opinion se soucie bien davantage (et avec véhémence) de la présence d'« étrangers » – c'est-à-dire d'étrangers pauvres – supposés rafler des emplois inexistants, gruger les autochtones, dévaliser l'aide sociale.

Sus aux immigrés qui entrent, bon vent aux capitaux qui sortent ! Il est plus facile de s'en prendre aux faibles qui arrivent, ou qui sont là, et même arrivés depuis longtemps, qu'aux puissants qui désertent !

Ces immigrés, n'oublions pas que, s'ils migrent dans des pays plus prospères, ces mêmes pays, dont le nôtre, sont allés chez eux et qu'ils y vont encore, et pas seulement pour ces questions de salaires à bas prix. Ils y exploitent leurs matières premières, leurs ressources naturelles, quand ils ne les ont pas déjà épuisées. Ne pas donner, ne pas distribuer est une chose, mais rafler, priver, s'octroyer des biens, sous prétexte que l'on est mieux qualifié pour les exploiter (au profit d'autres régions), en est une autre.

Nos « forces vives », liées à nos États, colonisent toujours économiquement beaucoup de ces pays qui les ont ainsi enrichies. Les habitants déjà pauvres, mais encore appauvris de ces contrées dont on a « emprunté » les ressources et dont on a, de ce fait, désorganisé les modes de vie économique spécifiques, désormais non viables, émigrent chez ceux (alors indignés) qui sont intervenus, en Afrique, par exemple, en visiteurs bien plus intéressés que nos immigrés ne le seront jamais. Il est vrai que cela se passe à des niveaux négligés par le public.

Les pouvoirs et les puissances se gardent bien de rien éclairer. Ils attisent les rejets, apprécient le flou dans lequel se trament les délocalisations, les fuites de capitaux et autres opérations plus ou moins licites, et savourent la tranquillité de leur règne sur des ouailles divisées.

Les pays occidentaux ferment donc jalousement leurs frontières terrestres à « la misère du monde », mais laissent s'échapper par des routes virtuelles les richesses auxquelles leurs citoyens impuissants, désinformés, s'imaginent avoir encore droit, celles qu'ils croient encore posséder et devoir défendre, mais qu'ils laissent fuir sans émotion.

Ce ne sont pas les immigrés qui épuisent chez nous une masse salariale déjà en voie de disparition, mais plutôt, parmi les habitants des contrées défavorisées, ceux qui ne sont *pas* devenus des étrangers, qui n'ont *pas* émigré, mais qui, demeurés au sein de leurs propres pays, travaillent à des prix (si l'on peut dire) d'aumône, sans protection sociale, dans des conditions oubliées ici. Manne pour les groupes multinationaux, ils sont donnés pour exemplaires. Pour autant d'exemples sur lesquels il faudrait s'aligner, vers lesquels il faudrait au moins tendre si l'on veut encore espérer garder une chance de réintégrer le cheptel ayant droit aux emplois, tant qu'il en reste quelques-uns.

Répartitions, opportunités sur lesquelles veillent les grandes organisations mondiales telles que la Banque mondiale, par exemple, qui juge que « serait contre-productive une politique de taxation des firmes multinationales pour tenter de prévenir la migration des emplois à maigres salaires vers des pays en voie de développement [1] », ou que « le transfert de la production à l'étranger est une stratégie efficace *afin d'augmenter la part de marché de la firme dans un monde concurrentiel*, ou afin de minimiser ses pertes [2] ».

Les marchés peuvent choisir leurs pauvres dans des circuits élargis ; le catalogue s'enrichit, car il y existe désormais des pauvres pauvres et des pauvres riches. Et il en existe – on en découvre toujours – d'encore plus pauvres, moins difficiles, moins « exigeants ». Pas exigeants du tout. Des soldes fantastiques. Des promotions partout. Le travail est pour rien si l'on sait voyager. Autre avantage : le choix de ces pauvres-là, de ces pauvres pauvres, appauvrira les pauvres riches qui, devenus plus pauvres, proches des pauvres pauvres, seront à leur tour moins exigeants. La belle époque !

Étrange revanche des possédants, due à leur dynamisme, à leur esprit de lucre, de domination, mais aussi d'entreprise. Ils parviennent à faire feu de tout bois, à transporter et reconstituer ailleurs certains excès d'exploitation que l'Histoire avait rendus caducs dans les pays les plus industrialisés, et dont on avait cru voir s'amorcer la disparition ailleurs, en particulier à la suite des décolonisations.

C'était sans compter avec les technologies

---

1. Cité par Jacques Decornoy, *op. cit.*
2. Nous soulignons. *(N.d.A.)*

nouvelles combinées à la raréfaction dramatique des emplois – dont elles sont largement responsables. La promptitude clairvoyante de l'économie privée à se saisir des prodigieuses capacités d'ubiquité, de synchronisation, d'information qu'elles offrent, à user de l'espace et du temps court-circuités, permet les papillonnages don juanesques, les bons plaisirs géographiques des firmes inter-multi-transnationales. Et le néocolonialisme déferlant.

Rien ne saurait mieux démontrer la puissance de l'économie privée, son hégémonie. Rien, sinon l'indifférence qu'elle suscite, le peu de réactions, et leur impuissance lorsqu'elles ont lieu. Rien, sinon le chantage exercé à partir de là sur les politiques des pays développés afin qu'elles s'alignent sur le bas, diminuent la fiscalité, réduisent les dépenses publiques, les protections sociales, réglementent les déréglementations, les dérégulations, et « libèrent » le droit de licencier sans contrôle, abolissent le salaire minimum, flexibilisent le travail, et cætera, et cætera.

Ces suggestions si péremptoires ont (au minimum) pour effet un relâchement dans l'application de mesures déjà si altérées, si combattues, de plus en plus faciles à contourner. Suggestions ou chantage qui rencontrent encore de faibles résistances, une opinion générale nerveuse mais assez accablée, facilement distraite, assidûment détournée vers un certain assoupissement. Quelques soubresauts comme en France, en décembre 1995, deux millions de personnes dans les rues. On croyait entendre certains penser : « Les chiens aboient, la caravane passe », ou « Cause toujours, tu ne m'intéresses pas ».

Il est vrai que les peuples sont las, ils ont déjà beaucoup donné. Ils ont beaucoup pensé. Ils sont très seuls, écrasés face à cet appareil aux dimensions monstrueuses appelé « pensée unique ». Ils sont à un tournant plus périlleux qu'il ne semble, et qu'ils préfèrent ne pas considérer. Ils sont prêts, pour l'instant, à écouter les vieilles légendes que l'on ressasse au cours des veillées où doucement ils somnolent, bercés par des contes où les pays riches seraient de ce fait des pays prospères. Ce qui se révèle – et de plus en plus – faux.

Surtout, nous avons traversé une révolution sans nous en être aperçus. Une révolution radicale, muette, sans théories déclarées, sans idéologies avouées ; elle s'est imposée dans et par des faits silencieusement établis, sans déclaration aucune, sans commentaires, sans le moindre effet d'annonce. Des faits installés sans bruit dans l'Histoire, et dans nos décors. C'est la force de ce mouvement de n'être apparu que déjà mis en place et d'avoir su prévenir et paralyser d'avance, dès avant son avènement, toute réaction à son encontre.

Ainsi le carcan des marchés est-il parvenu à nous enserrer comme une seconde peau, tenue pour plus adéquate à nous que celle de notre corps humain.

Ainsi n'en sommes-nous plus, par exemple, à déplorer le sous-paiement de ces mains-d'œuvre surexploitées en des pays de misère souvent colonisés (entre autres) par la dette ; nous en sommes à déplorer le sous-emploi que cela provoque dans *nos* contrées, et presque à jalouser ces malheureux, en vérité reconduits, confirmés dans des conditions sociales scandaleuses – ce que nous savons, mais nos acquiescements sont sans limites !

Il est courant, à propos de l'emploi, de déplorer que soit pris à l'un ce qui est par ailleurs octroyé à l'autre. Ou de se réjouir que soit attribué à l'un ce dont l'autre sera par là privé. « A Matignon, lit-on par exemple, on caresse l'espoir d'atteindre l'objectif de deux embauches de jeunes pour trois recrutements [1] » ; cela part d'une fort bonne volonté, mais veut dire que deux chômeurs plus âgés sur trois demeureront chômeurs, puisque la quantité d'emplois disponibles n'augmente pas pour autant, mais, au contraire, le plus souvent diminue. Il en va de même lorsque, le chômage augmentant, on se réjouit néanmoins de voir baisser dans le même temps le pourcentage des chômeurs de longue durée ; cette fois, ce sont des jeunes qui auront obtenu encore moins d'emplois que la hausse du chômage pouvait le leur faire craindre.

Le fait est que l'on s'attaque à de faux problèmes, que l'on fait semblant de gérer ce qui n'est pas gérable. Supprimer le chômage d'un seul individu vaut toutes les peines que l'on peut se donner. Mais on ne peut, en l'état actuel des choses, que répartir autrement les mêmes donnes, sans rien réparer du tout. On ne peut pas modifier le sens de la pente. On pourrait seulement œuvrer relativement au sens qu'elle a pris. Traiter la situation réelle, non celle depuis longtemps dissoute.

A titre individuel, les conseils prodigués aux chômeurs dans les organismes spécialisés leur indiquent comment se faire éventuellement adjuger un emploi par miracle disponible, que, de ce fait, un autre n'obtiendra pas. Ce que quantité d'autres, plutôt, n'obtiendront pas, tant sont nombreux les candidats au moindre poste, même déplorable. (On se rue sur les CES, qui offrent de si belles carrières et débouchent, avec un peu de chance, sur un autre CES, c'est-à-dire un contrat à temps déterminé, tout à fait temporaire. Travail à temps partiel. Salaire équivalant à la moitié du SMIC, soit environ 2 800 F par mois !)

---

1. *Paris Match,* 21 mars 1996.

Ces conseils, souvent les seuls offerts, correspondent à des « trucs » pour être préféré, choisi plutôt qu'un autre, à la place d'un autre. La masse salariale et le marché de l'emploi n'ayant pas du tout tendance à se dilater, cela n'a rien à voir avec la réduction du nombre des rejetés. Le problème n'a donc pas été effleuré.

L'accentuation galopante du chômage dans les pays développés tend, on l'a vu, à les faire insensiblement rejoindre la pauvreté du tiers monde. On avait pu espérer voir se produire le contraire, et la prospérité se propager ; c'est la misère qui se mondialise et se répartit dans les contrées jusqu'ici favorisées, avec une *équité* qui fait honneur aux partisans de ce terme en vogue.

Le déclin – qui n'est pas celui de l'économie : elle prospère ! – se profile, de moins en moins vague, accepté comme un phénomène naturel, de plus en plus géré par les États, eux-mêmes de plus en plus à la merci de l'économie privée qui, liée aux grands organismes mondiaux, tels, nous les avons rencontrés, la Banque mondiale, l'OCDE, le FMI, détient avec eux la maîtrise.

Car le régime réel sous lequel nous vivons et dont l'autorité nous tient de plus en plus sous son emprise ne nous gouverne pas officiellement, mais décide des configurations, du substrat que les gouvernants auront à gouverner. Et aussi des règles, sinon des lois, qui mettent hors de portée, protègent de tout contrôle, de toute contrainte les décideurs véritables, les groupes transnationaux, les opérateurs financiers qui, en revanche, contraignent et contrôlent, eux, le pouvoir politique. Celui-ci se répartit découpé pays par pays – découpage ou délimitations ignorés des puissances privées, comme le sont les frontières.

Quels que soient son pouvoir, sa marge d'action, sa capacité d'être responsable, un gouvernement opère aujourd'hui au sein de paysages économiques, de circulations d'échanges, de champs d'exploitation qui déterminent ses politiques et ne sont pas de son ressort. Qui ne dépendent plus de lui alors qu'il dépend d'eux. Un détail presque anecdotique. Alors que tous les politiciens s'égosillent à nous confier leur ardeur à lutter contre le chômage, l'annonce d'une baisse de celui-ci aux États-Unis a fait s'effondrer, très récemment, les cours de la Bourse dans le monde entier. On pouvait lire dans *Le Monde* du 12 mars 1996 : « Le vendredi 8 mars laissera sur les marchés financiers la trace d'une journée noire. La publication de chiffres excellents, mais inattendus sur l'emploi aux États-Unis a été reçue comme une douche froide – un paradoxe apparent dont les marchés sont coutumiers... Les marchés, qui craignent surtout la surchauffe et l'inflation, ont été victimes d'une véritable panique... A Wall Street, l'indice Dow Jones, qui avait battu encore un record mardi, a terminé sur une dégringolade de plus de 3 % ; il s'agit de la plus forte baisse en pourcentage depuis le 15 novembre 1991. Les places européennes ont aussi lourdement chuté... Les places financières semblent particulièrement vulnérables à *toute mauvaise nouvelle*[1]... » Et encore : « Les analystes attendent de savoir s'ils voient confirmer le chiffre record de 705 000 créations d'emplois aux États-Unis en février, le plus élevé depuis le 1er septembre 1983. C'est cette statistique qui a mis le feu aux poudres. [La Bourse de New York] a même cédé à la panique vendredi au cours des deux dernières heures de cotation. Wall Street

---

1. Nous soulignons. *(N.d.A.)*

pourrait se trouver confronté à un environnement devenu totalement défavorable, avec, d'un côté, une hausse déjà bien entamée des taux à long terme et, de l'autre, une stagnation ou même une baisse de la rentabilité des entreprises. »

Autre détail : les mêmes cours montaient en flèche, il y a quelques années, à l'annonce d'un licenciement monstre par Xerox de dizaines de milliers de travailleurs. Or la Bourse est la ruche des « forces vives » sur lesquelles s'appuient, à défaut des nations, leurs gouvernements.

Mais nous ne continuerons pas moins de déplorer tous en chœur « le chômage, fléau de notre temps », et de participer aux grand-messes électorales où l'on prie pour le retour miraculeux et certain du plein emploi à plein temps. Et l'on continuera de publier inlassablement les courbes de ces statistiques, de les découvrir avec des cris de surprise désolée, dans un suspense jamais découragé. Au plus grand profit des promesses démagogiques, de la soumission générale, de la panique sourde, de plus en plus intense, et, on le voit bien ici encore, *gérée*.

Si discrètement toutefois ! Cette baisse de la Bourse dictée par celle du chômage a-t-elle frappé l'opinion ? On ne l'a guère soulignée. Sans doute allait-elle de soi. « *One of these things* », comme on dit en anglais. Une de ces choses. N'y avait-il pas là quelque signe, quelque indice ? Eh bien non ! Il n'a pas semblé. Même si la contradiction était radicale avec les lyrismes du discours général, avec les sempiternelles déclarations des politiques, celles aussi des chefs d'entreprise. Même si c'était un aveu des puissances financières reconnaissant là leurs intérêts véritables, et par là ceux des pouvoirs politiques influencés par elles, et qui naviguent à l'aveuglette au sein de décisions prises ailleurs, souvent ignorées d'eux. Un aveu des gouvernements, des élus, des candidats qui, à des fins électorales, miment sans conviction, pour un public blasé, des exercices de sauvetage peu convaincants, censés remédier au chômage. Destinés surtout à étayer la conviction qu'il ne s'agit que d'un recul de l'emploi, grave, mais temporaire et remédiable, au sein d'une société très logiquement organisée autour de lui – fût-ce autour de son manque.

Rituels auxquels chacun prétend croire afin de mieux se persuader (mais de plus en plus difficilement) qu'il ne s'agit que d'une période de crise, et non d'une mutation, d'un nouveau mode de civilisation déjà organisé, et dont les logiques supposent l'éviction de l'emploi, l'extinction de la vie salariée, la marginalisation de la plupart des humains. Et de là... ?

Rituels auxquels on s'agrippe afin d'au moins s'entendre dire qu'il s'agit d'un déclin passager et non d'un régime neuf, dominateur, qui, bientôt, ne sera plus branché sur aucun système d'échange réel, sur aucun autre support, car son économie n'adhère plus qu'à elle-même, ne vise plus qu'elle-même. Sans doute l'une des rares utopies jamais réalisées ! Le seul exemple d'anarchie au pouvoir (mais prétendant à l'ordre), régnant sur l'ensemble du globe et chaque jour davantage imposée.

Temps étranges où le prolétariat – feu le prolétariat ! – se débat pour récupérer son inhumaine condition. Tandis que l'*Internationale,* cette vieille chose un peu ringarde, reléguée parmi les accessoires poussiéreux, les rengaines oubliées, semble resurgir, muette, sans paroles ni musique, silencieusement entonnée par le camp opposé. Elle se déploie, tout aussi ambitieuse, moins fragile, mieux armée, triomphante, cette fois, car elle a su choisir les bons moyens : ceux de la puissance et non ceux des pouvoirs.

Mais, d'une Internationale l'autre, s'agira-t-il jamais de la « lutte finale » ? Toute conclusion apparente ne verra-t-elle pas comme toujours, et fort heureusement, ses conséquences remises en question ? « Tout lasse, tout passe, tout casse », disait la nounou Beppa, si savante, et tout lui donne raison.

Rien ne fut ni ne sera jamais définitif, même les situations les plus pétrifiées. On l'a bien vu au cours de ce siècle. Et il n'est pas question aujourd'hui d'une « fin de l'Histoire », comme on a tenté de nous en persuader, mais d'un déchaînement de l'Histoire, au contraire, comme jamais agitée, manipulée comme jamais, et comme jamais déterminée, comme jamais dirigée dans un sens unique, vers une « pensée unique » axée, malgré l'élégante efficacité de certains camouflages, vers le profit.

Face à cela, quelles analyses, quelles contestations, quelles critiques, quelles oppositions ou même quelle alternative ? Aucune, sinon l'écho. Avec tout au plus – effets d'acoustique ? – quelques variantes. Un déferlement surtout de surdités, d'aveuglements endémiques alors que nous sommes happés dans des accélérations vertigineuses, dans une fuite vers une conception désertique du monde, d'autant plus facilement masquée que nous refusons de la percevoir.

Nous vivons des temps majeurs de l'Histoire. Ceux-ci nous mettent en danger, à la merci d'une économie despotique dont il faudrait au moins situer, analyser, décoder les pouvoirs, l'envergure. Si mondialisée qu'elle puisse être, si acquis à sa puissance que puisse être le monde, il reste à comprendre, à décider au moins, peut-être, quelle place la vie est encore à même d'occuper dans ce dessin-là. Il est impérieux d'au moins entrevoir ce dont nous participons, de déceler ce qui nous est encore loisible, jusqu'où vont, jusqu'où risquent d'aller les empiètements, les spoliations, la conquête.

Et, si cette conquête est approuvée de tous côtés, du moins entérinée comme incontournable par tous les partis – même si certains suggèrent la possibilité d'y apporter quelques vagues retouches, voire quelques réformes – ne peut-on acquérir au moins la liberté pour chacun de se situer, lucide, avec une certaine dignité, une certaine autonomie, même dans une situation de rejet ?

Voilà si longtemps que nous sommes aveugles même à des signes évidents ! Les technologies nouvelles, l'automation, par exemple, depuis longtemps prévisibles, et alors comme autant de promesses, n'ont été prises en compte que du jour où les entreprises en ont usé et où, les ayant utilisées d'abord pragmatiquement, elles les ont intégrées sans y avoir beaucoup réfléchi, elles non plus, jusqu'à ce que, grâce à leur avance, elles se les soient en fin de compte appropriées pour s'organiser en fonction d'elles et en user à nos dépens.

Il aurait pu en aller tout autrement si des penseurs politiques avaient, dès 1948, lu les premiers ouvrages de Norbert Wiener[1] (qui fut non seulement l'inventeur de la cybernétique, mais un prophète très lucide quant à ses conséquences) et s'ils avaient su les prendre en considération, relever ce qu'à long terme ils impliquaient et d'espoir fou et de péril.

Tout y était perceptible de l'extinction du travail, du pouvoir technologique, des métamorphoses qui y étaient impliquées, comme d'une tout autre distribution de l'énergie et de définitions autres de l'espace et du temps, des corps et de l'intelligence.

On pouvait anticiper les bouleversements de toutes les économies, celles du travail en priorité. Souvent, au cours des années et même des décennies suivantes, nous avons pu nous étonner de ne les voir pris en compte par aucun régime, aucun gouvernement, aucun parti dans leurs analyses ou dans leurs prévisions à moyen ou long terme. On parlait travail, industrie, chômage, économie sans jamais songer à ces phénomènes qui nous semblaient si déterminants et recélaient à l'évidence des potentialités qui paraissaient alors (et qui auraient pu être) annonciatrices de perspectives inespérées. En 1980 encore, nous pouvions écrire : « ... Il est surprenant que la cybernétique ne se soit développée sous *aucun* régime. Que l'on s'en tienne toujours au même marché bancal et opprimant. La cybernétique n'est pas forcément une "solution", mais que l'on ignore cette possibilité fait tout de même symptôme. Manque d'imagination ? Au contraire, trop

---

1. Norbert Wiener. *Cybernetics, or Control and Communication in The Man and The Machine,* 1948 ; *The Human Use of Human Beings. Cybernetics and human beings,* 1950.

d'imagination ! Et que terrifie la liberté [1]... » Car l'idée de la fin du travail, ou de tout ce qui allait dans cette voie, ne pouvait alors être tenu que pour une libération !

La cybernétique, négligée par le politique, fut donc introduite dans l'économie presque distraitement, sans réflexion ni arrière-pensées stratégiques, machiavéliques, mais comme « innocemment », avec des visées pratiques et sans théories, plutôt comme un simple outil d'abord utile, bientôt indispensable. Elle s'est révélée être un facteur d'une portée incommensurable, prépondérant, responsable – comme il était prévisible, mais comme il ne fut pas prévu – d'une révolution d'ordre planétaire. Ses conséquences, inscrites dans nos mœurs, auraient dû être des plus bénéfiques, presque miraculeuses. Elles ont des effets désastreux.

Au lieu d'ouvrir la voie d'une diminution et même d'une abolition bienvenues, concertées du travail, elle suscite sa raréfaction, bientôt sa suppression, sans qu'aient été supprimées ou même modifiées pour autant l'obligation de travailler ni la chaîne des échanges dont le travail est toujours supposé être l'unique maillon.

L'innocence première des entreprises et des marchés a fait place à l'utilisation bien plus lucide et planifiée des nouvelles technologies, puis à une gestion des plus énergiques, ciblée sur le profit que l'on pouvait en attendre et dont les travailleurs de chair et d'os font les frais.

Loin de représenter une délivrance favorable à tous, proche d'un fantasme paradisiaque, l'évanouissement du travail devient une menace, et sa rareté, sa précarité, des sinistres, puisque le travail demeure très illogique-

---

1. *La Violence du calme, op. cit.*

ment, très cruellement, meurtrièrement nécessaire non plus à la société, ni même à la production, mais, précisément, à la survie de ceux qui ne travaillent pas, ne peuvent plus travailler, et pour qui travailler serait seul salvateur.

Est-il facile pour ceux-là mêmes qui sont les plus fragiles (la grande majorité) d'admettre dans un pareil contexte que le travail est lui-même condamné et qu'à part cette utilité périmée qu'il conserve pour eux, à part la nécessité vitale qu'il représente pour eux, il n'a presque plus de raison d'être ? Même si, de cela, des preuves, des exemples sont donnés à longueur de temps ?

Et puis, lorsque l'on a si bien assimilé ce qui fut aussi ressassé depuis la nuit des temps : que nous n'avons d'utilité que celle conférée par le travail, ou plutôt par l'emploi, par ce à quoi l'on nous emploie, comment admettre que le travail lui-même n'a plus d'utilité, ne sert plus à rien, pas même au profit des autres, qu'il n'est plus même digne d'être exploité ?

La sublimation, la glorification, la déification du travail proviennent de cela aussi. Pas seulement de la détresse matérielle suscitée par son absence. Si l'Éternel aujourd'hui maudissait : « Tu travailleras à la sueur de ton front ! », ce serait entendu comme une récompense, comme une bénédiction ! On semble avoir à jamais oublié que le travail était souvent tenu, il n'y a pas si longtemps, pour contraignant, coercitif. Pour infernal, souvent.

Mais Dante a-t-il imaginé l'Enfer de ceux qui réclameraient l'Enfer en vain ? De ceux pour qui la pire damnation serait d'en avoir été chassés ?

C'est Shakespeare qui affirme par la voix d'Ariel : « L'Enfer n'existe pas. Tous les démons sont ici. »

La voie qui aurait pu s'ouvrir, non pas vers le

manque, mais vers un déclin apaisant et concerté du labeur, de l'emploi, cette voie qui aurait pu mener vers leur disparition, telle une délivrance favorable à tous, telle une traversée plus libre, plus épanouissante de la vie, conduit aujourd'hui à la perte de statut, à la paupérisation, à l'humiliation, à l'exclusion, peut-être à l'éjection d'un nombre de plus en plus important d'existences humaines.

Elle ouvre aux risques du pire. Nos élans vers la fuite, notre enthousiasme pour l'évitement, nos réticences à la lucidité nous aident à stagner dans le drame actuel, lequel pourrait conduire à bien plus tragique. Rien n'est bloqué cependant, tout est possible encore. Il est seulement de la plus grande urgence de déceler au sein de quel contexte non encore officiellement officiel, mais opérant, au sein de quelles configurations, de quels dessins et desseins politiques, c'est dire économiques, et surtout au sein de quel subterfuge consenti s'inscrivent nos vies au présent.

Il faudrait pour cela nous délivrer d'un syndrome, celui de *La Lettre volée* qui, pour avoir été mise très en évidence, passe inaperçue. Mais, alors que dans la nouvelle de Poe la lettre était occultée de par la ruse de celui qui désirait la cacher, elle l'est aujourd'hui de par la réticence de ceux qui devraient la chercher, de par leur volonté éperdue de ne pas la découvrir ou de ne pas s'avouer qu'ils l'ont vue, afin d'être assurés d'éviter tout risque de la lire. Or, ne pas en connaître le contenu ne garantit aucunement contre ce qu'il pourrait révéler de néfaste. Au contraire.

Nous ne sommes pas indifférents, passifs, comme il semble. En vérité, toutes nos forces sont tendues, tous nos efforts, dans le but de ne rien reconnaître de ce qui nous empêche – et nous empêchera davantage encore – de poursuivre l'unique forme d'existence

136

connue de nous, celle fusionnée au système du travail. La seule, selon nous, convenant à la planète. Et nous allons jusqu'à accepter d'en être spoliés, exclus, à condition d'en être encore au moins les spectateurs. Même ceux de sa déperdition.

Notre résistance va dans ce sens-là, qui nous rend aveugles et sourds précisément à ce qui pourrait susciter d'autres résistances, voire de simples mises en question. Nous nous cantonnons ferme dans les rôles de vestales !

Nous acceptons que l'on nous parle de « chômage », comme s'il s'agissait bien de cela, car, à écouter ce terme, c'est encore celui de « travail » qui s'entend en écho, et c'est bien là peut-être l'un des tout derniers liens qui nous restent avec lui.

Nous acceptons que le chômage s'aggrave sans fin, tandis que l'on nous promet sans fin de le résorber, et que ces promesses mêmes servent de prétextes à tous les abus, à la mise en place d'une scène planétaire insoutenable, car il nous semble ainsi nous maintenir encore, même indésirables, même répudiés, dans la sphère que nous ne voulons pour rien au monde quitter, celle du travail ; l'« absence de travail » appartenant encore, après tout, à cette sphère-là.

Nous nous savons entrés dans une histoire différente, irréversible, que nous ne connaissons pas, que nul ne connaît, et dont nous faisons mine d'ignorer l'existence. Mais n'est-il pas étrange et peu plausible qu'elle ait pris cet aspect funèbre, et qu'en admettre la réalité corresponde à un deuil, au point que la penser, la confronter seulement semble insoutenable ? Est-il si cruel d'admettre de ne plus être sous la coupe du labeur, comme on l'entendait auparavant, dans des conditions si difficiles alors à supporter ? Mais ne demeurons-nous pas, en vérité, davantage sous sa coupe, et ne sommes-nous pas, sous sa forme de carence, plus esclaves de lui que jamais ?

La délivrance du labeur obligé, de la malédiction biblique, ne devait-elle pas logiquement conduire à vivre plus libre la gestion de son temps, l'aptitude à respirer, à se sentir vivant, à traverser des émotions sans être autant commandé, exploité, dépendant, sans avoir à subir aussi tant de fatigue ? N'avait-on pas, depuis la nuit des temps, espéré une telle mutation en la tenant pour un rêve inaccessible, désirable comme aucun ?

Ce passage d'un ordre d'existence à celui qui s'établit de nos jours, et que nous refusons de découvrir, paraissait appartenir à l'ordre de l'utopie, mais, y songeait-on, c'était pour l'imaginer pris en charge par les travailleurs eux-mêmes, par tous les habitants, et non imposé par quelques-uns, en nombre infime, qui se comporteraient en maîtres d'esclaves désormais inutiles, en propriétaires d'une planète qu'ils seraient seuls à gérer et qu'ils aménageraient pour eux seuls, selon leurs seuls intérêts, des auxiliaires humains en nombre ne leur étant plus nécessaires.

On n'eût jamais imaginé qu'être délivré du carcan du labeur tiendrait de la catastrophe dans le mauvais sens du mot. Et que cela surviendrait, surgi soudain tel un phénomène d'abord clandestin. On n'aurait jamais deviné non plus qu'un monde capable de fonctionner sans la sueur de tant de fronts serait aussitôt (même dès avant) rapté, et que l'on s'y affairerait par priorité à coincer, puis acculer, pour mieux les rejeter, les travailleurs devenus superflus. Que cela se traduirait, non par la capacité de tous à mieux employer, apprécier, assumer un statut de vivants, mais par une coercition renforcée, porteuse de privations, d'humiliations, de carences, et surtout de plus de servitude encore. Par l'instauration de plus en plus manifeste d'une oligarchie. Mais aussi par l'improbabilité proclamée de toute alternative. Par la mise en place générale d'un acquiescement, d'un consensus qui atteignent à des dimensions cosmiques.

Cependant, l'absence, non pas tant de toute lutte, mais de toute concertation critique, de toute réaction, atteint aujourd'hui de telles proportions, semble si absolue que les décideurs, ne rencontrant aucun obstacle sérieux à leurs projets si graves, semblent avoir presque le vertige devant le calme plat d'une opinion absente, ou qui ne s'exprime pas, devant son consentement tacite face à des phénomènes pourtant radicaux, face à des événements – des avènements, plutôt – qui se déchaînent avec une ampleur, une puissance, et à des vitesses encore inédites.

La « cohésion sociale » semble inébranlable, malgré la « fracture » du même nom, au point de paraître déconcerter ceux-là mêmes qui craignent de la voir se rompre ; d'autant plus qu'ils repèrent, eux, les signaux aptes à déclencher toutes les contestations qui ne se font pas entendre.

D'où la prudence, la patience dont ont longtemps fait montre les discours. Une patience, une prudence de moins en moins nécessaires. Le terrain est dès à présent tout à fait préparé, les vocabulaires vulgarisés, les idées... reçues ! Tout semble aller de soi.

Ainsi, par exemple, en dépit d'une tentative vaillante, mais sans effet, du chef de l'État français qui retrouvait là un peu l'esprit de sa campagne présidentielle pour proposer au moins une déclaration d'intentions qui évoquât le « social », les sept pays les plus industrialisés, soit les plus riches du monde, au cours de la réunion du G7 sur l'emploi organisée à Lille en avril 1996, ne jugeant pas même utile de donner le change, ont pu se mettre tranquillement d'accord – cette fois sans les détours, les circonlocutions, sans les non-dits usuels – sur la nécessité absolue d'une déréglementation, d'une flexibilité, en un mot d'une « adaptation » du travail à une mondialisation de plus en plus confirmée, banalisée même, et qui s'affirme résolument hors du « social ». Cela semble désormais aller de soi. On « régularise », sans plus, et sans difficulté. On entérine la routine. L'adaptation s'accélère à présent au grand jour.

Elle a de quoi faire. A la même réunion, le directeur général de l'Organisation internationale du travail précisait que « de 1979 à 1994, le nombre de chômeurs, dans les pays du G7, est passé de 13 à 24 millions », c'est-à-dire qu'il a pratiquement doublé en quinze ans, « sans compter les 4 millions qui ont renoncé à chercher un emploi et les 15 millions qui travaillent à temps partiel, faute de mieux ».

Accélération ? Depuis peu de temps, ce qui déjà se glissait dans certaines analyses, quelques effets d'annonce, s'affirme en termes clairs, sur le ton d'un diktat, mais donné, il est vrai, sous la forme d'une alternative, ce qui paraît nous réserver une marge d'autonomie et même d'initiative : nous sommes devant un choix. Nous avons, désormais, la faculté de décider – c'est à la carte ! – si nous préférons le chômage à l'extrême pauvreté, ou l'extrême pauvreté au chômage. Dilemme ! Et ne venez pas vous plaindre ensuite : c'est vous qui en aurez décidé.

Mais que l'on se rassure : nous obtiendrons les deux !

Ils vont de pair.

On l'a compris, il s'agit là du choix entre deux modèles, l'européen et l'anglo-saxon.

Ce dernier obtient depuis quelque temps une baisse

du chômage dans les statistiques grâce à une aide sociale qui frôle le degré zéro, à une maestria spectaculaire de la flexibilité du travail, et surtout grâce au fait que, selon le secrétaire au Travail américain lui-même, Robert Reich[1], par ailleurs grand économiste, souvent visionnaire, « les États-Unis continuent de tolérer une grande disparité dans les revenus − la plus importante de tous les pays industrialisés −, laquelle serait sans doute intolérable dans la plupart des pays d'Europe occidentale ». Mais cette misère « intolérable », fondée sur ce qui est présenté pudiquement comme une « grande disparité » entre l'indigence indicible d'un nombre impressionnant et l'opulence sans pareille d'une petite minorité, permet à Robert Reich de poursuivre : « En revanche, le pays a opté pour une plus grande flexibilité qui s'est traduite par davantage d'emplois. »

Voilà.

En clair, on est aussi pauvre, mais, en plus (si l'on ose dire), sans aide sociale, et tout en travaillant ! Triomphe des principes de l'OCDE et autres organisations mondiales. Non seulement les chômeurs davantage châtiés, le dénuement social accentué offrent au plus bas prix une main-d'œuvre dressée, manipulable à souhait, mais ils font baisser le taux du chômage. Cela se traduit par l'institutionnalisation d'une misère impensable dans un pays aussi puissant, où les fortunes s'amplifient dans des proportions jusqu'ici inconnues − à la mesure d'une pauvreté croissante, d'une détresse partagée par des travailleurs qui, malgré (ou plutôt avec) leurs salaires, vivent au-dessous du seuil de pauvreté, et par des classes moyennes très appauvries, aux emplois de plus en plus précaires, souvent des

---

1. *Le Monde,* 7-8 avril 1996.

lambeaux, des bribes, des débris d'emplois très mal rémunérés. Et, comme toujours, sans la sécurité d'aucune aide, même en matière de santé.

Mais on est tout de même parvenu, comme s'en faisaient forts l'OCDE, le FMI, à mettre au travail quelques tire-au-flanc. Restent, hélas, d'innombrables fainéants qui font encore la grasse matinée sur les trottoirs à l'abri de leurs cartons, qui bayent aux corneilles dans les queues devant les ANPE, ou même qui se prélassent et se gobergent dans ces lieux caritatifs, au profit desquels les « forces vives » se sont bien souvent donné le mal de dîner au caviar, comme il est coutumier de le faire au bénéfice des affamés. Il n'est d'efforts bienfaisants qui leur soient refusés.

Cependant, afin de répondre aux constats si lucides de l'économiste Robert Reich[1], le ministre Robert Reich s'efforce, avec bien moins de bonheur, de trouver des solutions. Il propose une hausse des salaires, mais les moyens dont il dispose pour y parvenir, les obtenir, deviennent soudain étrangement flous. Il rêve de sempiternelles « formations » (cette fois sur toute la vie : « *life long education* ») et autres gadgets usés. Mais il prononce aussi un mot qui, semble-t-il, sonne neuf et paraît promis à un bel avenir : « employabilité », qui se révèle être un très proche parent de la flexibilité, et même l'une de ses formes.

Il s'agit, pour le salarié, d'être disponible à tous les changements, les caprices du destin, en l'occurrence des employeurs. Il devra s'attendre à changer sans arrêt de travail (« comme on change de chemise », eût dit nounou Beppa). Mais, contre la certitude d'être ballotté « d'un emploi à un autre », il aura une

1. *Le Monde,* 7-8 avril 1996.

« garantie *raisonnable*[1] » – c'est-à-dire aucune garantie – « de retrouver un emploi différent du précédent qui aura été perdu, mais qui paie autant ». Tout cela déborde de bons sentiments, mais être trimbalé de plus ou moins petits boulots en boulots plus ou moins petits n'a rien de neuf, et quant aux « garanties *raisonnables* », on se doute qu'elles seront chaque fois immédiatement tenues pour « déraisonnables », et non avenues. On aura toutefois inventé le nom d'un gadget qui distraira les foules. Souvenons-nous : employabilité.

Le terme aura du succès. On imagine le degré de professionnalisation de ces « employabilisés », du moins celui qu'on leur suppose, le degré d'intérêt qu'ils pourront porter à leur travail, le progrès, l'expérience qu'ils y acquerront. La qualité de pion interchangeable, de nullité professionnelle qui leur sera conférée. Et il ne s'agit en aucune façon d'une vie d'aventure à opposer à une existence de rond-de-cuir, mais de l'accentuation d'une fragilité qui les mettra davantage à merci. Avec, sans cesse renouvelé, le souci d'un apprentissage, sans avoir grand-chance de devenir compétent. Bien entendu, il ne saurait être question ici d'un métier ou de « métier ». A chaque nouvelle tentative, il faudra se mettre au courant, veiller à ne pas déplaire à des inconnus, sans l'espoir de se faire des amis ni d'obtenir une place, une situation, un statut à soi, fussent-ils des plus infimes. Un « lieu » de travail, encore moins. L'existence oscillera sans fin entre l'obsession de ne pas perdre trop vite ce poste, même indésirable, indésiré, et celle, l'ayant perdu, d'en retrouver un. Obsessions telles que, malgré les heures chômées, elles ne laisseront guère de place

---

1. Souligné dans le texte de l'entretien. *(N.d.A.)*

à d'autres investissements, alors que ce mode de vie, même agrémenté d'une « garantie *raisonnable* », n'en proposera et n'en permettra pas non plus.

On pourra au moins se réjouir du fait qu'il ne sera plus question pour les syndicats de sévir en pareils paysages. Les allées et venues permanentes, la brièveté des séjours en des entreprises dont on n'a pas le temps d'intégrer le fonctionnement, où l'on ne fait que passer, où l'on est isolé, les rendront inopérants. Pas même envisageables. Quant aux accords, aux réunions, aux solidarités, aux contestations collectives, aux comités d'entreprise, autant de vieilleries oubliées !

Du « sous-intérim » permanent, généralisé, pour lequel on trouvera bien quelque euphémisme ronflant, puisqu'un intérim, aujourd'hui, s'intitule « une mission ». Du James Bond sur toute la ligne !

Il y a mieux. Une invention géniale : le « travail à heure zéro » (*zero hour working*), pratiqué en Grande-Bretagne. Les employés ne sont rémunérés que lorsqu'ils travaillent. Normal. Oui. Mais ... ils ne sont employés que de temps à autre et doivent impérativement, dans l'intervalle, attendre chez eux, *disponibles et non payés*, d'être appelés par leur employeur lorsqu'il l'estimera désirable, pour le temps qu'il jugera bon ! Il leur faut alors s'empresser de se remettre à la tâche pour un temps limité.

Une vie de rêve ! Mais qu'importe ! A tout se permettre, on peut tout obtenir. On peut aussi faire n'importe quoi. Du travail, s'il n'en reste pas pour tout le monde, il en demeure encore un peu. Mais, pour avoir une chance d'en profiter, il faut ne pas demander l'impossible, il faut savoir se tenir au rang qui vous est échu : *déchu.*

Aux États-Unis, remarquait Edmund S. Phelps, l'emploi est favorisé au détriment des salaires, alors qu'en Europe les salaires le sont au détriment de l'emploi. Peut-être. Mais rien, nulle part, ne joue au détriment du profit !

Tout a lieu au sein de marchés florissants, l'essentiel étant qu'ils s'épanouissent sans cesse davantage. On nous expliquera combien leur prospérité est indispensable à l'emploi, au bien-être général. A moins qu'il ne soit jugé plus utile de ne rien nous expliquer.

Mais, alternative au mode anglo-saxon, demeure le volet européen. Celui des fastes effrénés d'une aide sociale orgiaque ! L'État-providence, c'est bien connu, s'offre sans relâche de ces danseuses en fin de droits, au chômage, sans domicile fixe, qu'il entretient dans un luxe coupable.

Les grandes sociétés, les organisations mondiales observent, réprobatrices, ces débauches d'un autre âge, responsables de tous les maux : salaire minimum, congés payés, allocations familiales, Sécurité sociale, RMI, folies culturelles, pour ne citer que quelques exemples de cette gabegie. Autant de fonds dérobés aux visées de l'économie de marché pour entretenir des gens qui n'en demandent pas tant. Chercher du travail suffit bien à remplir une vie. Ne pas en trouver lui donne du piment. Comment ne pas regretter toutes les « créations de richesses » virtuelles ainsi dilapidées, parties à vau-l'eau, dont il est pourtant évident que tous eussent profité, ne serait-ce qu'à partir des kyrielles d'emplois qui n'eussent pas manqué d'en résulter ? Il est tout à fait déplorable de ne pouvoir éradiquer plus rapidement des mœurs aussi vétustes.

C'est surtout surprenant et dû, en France, à la résistance discrète d'une opinion silencieuse, inorganisée, mais nerveuse, apte à de soudaines vigilances et, sur beaucoup de points, encore peu liée ou même étrangère à la « pensée unique ». Une culture sociale et des acquis sociaux très enracinés nous maintiennent encore dans un ordre qui, pour être ébranlé, pour sembler céder, tient toujours d'un registre humain, lequel persiste à demeurer souvent une référence majeure. Même si, mondialisés comme il se doit, nous glissons plus ou moins insensiblement hors de cet ordre du droit, il est encore le nôtre.

Lutte comparable à celle menée pour sa vie par la chèvre pathétique de Monsieur Seguin ? Il est certes question, ici encore, d'un côté de ne pas périr, de l'autre, d'assouvir un appétit inextinguible ; mais il est moins question d'un combat que d'une présence, d'une mémoire qui s'obstinent.

De part et d'autre, les enjeux sont énormes. Les marchés savent évaluer les leurs. Ils ont les moyens de les défendre. Mieux – car ils n'en sont plus là –, d'éviter d'être freinés dans leur avancée stupéfiante. Au sein de leurs réseaux, ils forment ensemble une force unie, puissante comme aucune coalition ne le fut jamais. L'alibi de la concurrence et de la compétitivité, toujours mis en avant, masque au contraire une entente parfaite, une cohésion de rêve, une idylle absolue.

Certes, chaque firme et même chaque pays se prétendent aux prises avec la convoitise de congénères prédateurs et font mine de dépendre de leurs mœurs, d'être entraînés par eux dans leur fuite en avant. Ce sont les autres, tous les autres, entend-on répéter, qui imposent la concurrence, suscitent la compétitivité,

148

obligent à les suivre sur les voies de la déréglementation générale qu'ils instituent : celle des salaires flexibles, c'est-à-dire naufragés, de la liberté de licencier, de la série des libertés dont ils jouissent tous, au point que s'en distinguer serait faire le jeu de ces rivaux, aller à la débâcle et (ce qu'à tout prix on tient à éviter, le cœur manque rien que d'y penser) y entraîner... les emplois. D'où la nécessité impérieuse, pour les préserver, de licencier librement (c'est-à-dire en masse), de « flexibiliser » les salaires (cela va de soi), de délocaliser, etc. En un mot, de faire comme tout le monde, de suivre le mouvement.

Discours général si souvent proféré : « Désolés, mais que faire ? Les autres sont là, dehors, toutes griffes sorties. Cette concurrence, ce monde en folie à l'extérieur nous contraignent, si nous ne voulons disparaître, et avec nous les emplois ! » Discours qui peut se traduire par : « Grâce à nos soins conjugués, tout se résume à ce que nous jugeons rationnel, équitable et profitable, et qui nous lie. Ce monde de la concurrence est le nôtre – initié, contrôlé, géré par nous. Il impose ce que nous exigeons. Il est incontournable et ne fait qu'un avec nous qui voulons, pouvons, prenons tout, tous ensemble. »

Nouvel exemple du « un pour tous, tous pour un », auquel répond le « rien pour tous, tous pour rien » planétaire.

Et toujours ce moyen de chantage : le mythe des emplois qui, de toute façon, vont en se réduisant ; une réduction que leurs prétendus champions activent avec un zèle qui ne se dément pas.

Se joue là, au lieu des conflits supposés, un seul jeu, mené il est vrai à plusieurs, mais tous ligués vers un même but, au sein d'une même idéologie tenue muette. Il se déroule à l'intérieur d'un même club, unique et très fermé. On peut y perdre ou gagner la partie, y créer des clans, des hiérarchies, y inventer des règles inédites, défavorables à certains, et même y tricher, y poser des pièges ou s'y entraider, s'y quereller, à la limite s'y poignarder, mais toujours entre soi, et tous d'accord sur la nécessité, le bien-fondé du club, le nombre infime de candidats admis et leur prépondérance. Sur l'insignifiance de ceux qui n'en sont pas.

La concurrence ? La compétitivité ? Elles sont internes au club, fonctionnent avec l'accord de tous ses membres. Une affaire intime. Elles font partie du jeu, qu'en fait elles commandent et qui ne regarde pas les étrangers au club. Elles ne mettent pas en rivalité une population contre une autre. Toutes les populations ont au contraire en commun de *ne pas* faire partie du club, même s'il prétend, dans un soudain accès de familiarité, les prendre pour alliées, presque pour associées, voire pour des complices qui auraient beaucoup à perdre ou à gagner avec l'un ou l'autre des soi-disant pugilistes de ces prétendus conflits. La partie se joue en vérité sans elles, pour ne pas dire contre elles. Une partie bien policée, organisée de telle sorte que les adversaires supposés gagnent à chaque fois, et tous ensemble, tout.

Concurrence et compétitivité n'agitent pas autant qu'il est dit, et surtout pas *comme* il est dit, les entreprises et les marchés. Les réseaux mondiaux, transnationaux, sont bien trop imbriqués, enchevêtrés, liés entre eux pour qu'il en aille ainsi. Il s'agit plutôt là d'alibis qui recouvrent un intérêt commun à toute l'économie privée, intérêt qui réside précisément dans ces avantages, ces privilèges, ces exigences, ces permissivités auxquels elle se dit contrainte par des rivalités redoutables, menaçantes, alors qu'il s'agit d'abord

150

d'alliances au sein d'un même programme – d'une volonté commune, gérée de façon magistrale.

Les rivalités jouent certes un grand rôle dans l'économie de marché, mais pas dans les sphères ni aux niveaux qu'elle se plaît à indiquer. Ce qu'elle donne pour en résulter provient au contraire de la volonté conjointe de tous. Composée d'un seul groupe, elle n'en serait que davantage axée vers ce qui la favorise : l'exclusion de ce monde du travail dont elle n'a plus que faire.

D'où l'impatience suscitée par les « générosités » déplacées des protections sociales et autres prodigalités contestées ; protestations si réitérées que l'on finirait par y adhérer, tant elles sont insistantes, agressives, certaines de leur fait, si l'on ne se rappelait qu'elles ne font aucun cas de ce qui disparaît derrière les statistiques : l'ampleur de la détresse, l'acuité de la misère, la vie si dégradée, tout espoir châtré. Elles ignorent aussi ou passent sous silence le fait que les « aides » en question, que ces « assistances » vilipendées, exposées comme autant d'aubaines réservées à des privilégiés qui se prélassent sans pudeur, vautrés au sein de ces pactoles, sont inférieures aux dépenses nécessaires à une survie normale et maintiennent leurs « obligés » bien au-dessous du seuil de pauvreté, tout comme le font d'ailleurs bien des retraites et des rémunérations de stages, contrats subventionnés et autres stratagèmes appelés à « dégraisser », mais, cette fois, les lancinantes statistiques du chômage [1].

_____

1. Dans la majorité des cas, les allocations de chômage ne permettent de subsister qu'au-dessous, souvent très au-dessous du seuil de pauvreté. Tous les quatre mois elles diminuent de 15 à 25 pour cent. La durée des indemnisations a été raccourcie en 1992. Quant au RMI, il représente la somme fabuleuse de 2 300 F par mois ! Sans compter le nombre impressionnant de

Ce chômage qui sévit aujourd'hui à tous les niveaux de toutes les classes sociales, entraînant détresse, insécurité, sentiment de honte dus pour l'essentiel aux égarements d'une société qui le tient chaque fois pour une exception à la règle générale à jamais établie. Une société qui prétend poursuivre son chemin sur un chemin qui n'existe plus, au lieu de chercher d'autres voies.

Mais, durant ce temps, être une unité de ces statistiques ! Etre aux prises avec les complications innombrables, les vexations, les humiliations de tous ordres qui accompagnent ce chômage. Mais, dans certains cas, et nombreux, vivre avec 2 400 francs par mois, ou moins encore, ou rien si l'on est en « fin de droits » (entend-on ce que l'expression même signifie !). Et toujours l'effort inutile et répétitif aux fins de « se placer », comme on disait autrefois. Et la joie quotidiennement renouvelée de se savoir officiellement tenu pour une valeur nulle. Et qui *n'a pas* de place [1].

C'est si vite dit, si vite pensé, mais si long, si lent à vivre, cette sorte de malheur.

Entend-on qu'il ne s'agit plus ici de catégories brimées, de simples péripéties politiques, mais d'un

---

cas non inscrits. Sans compter certaines retraites, comme celles de veuves « vivant » avec 2 000 francs par mois. Sans compter aussi les poubelles que sont bien des « asiles » de vieillards. Vieillards pauvres, punis si cruellement, en ces lieux qui font la honte d'une « civilisation », d'avoir vécu et d'encombrer encore.

1. Sait-on que, dans le souci de ne pas voir les chômeurs risquer de se distraire de la chasse à l'emploi, il leur est interdit, sous peine de perdre toute allocation, de pratiquer le moindre bénévolat, de donner par là un sens à leur vie, d'avoir une activité et d'éprouver le sentiment (justifié) d'être utile ?

système qui s'établit, s'il ne l'est déjà, et qui nous évince ?

Reste au grand nombre un dernier rôle à remplir, éminent : celui de consommateurs. Il convient à chacun : n'arrive-t-il pas, même aux plus défavorisés de manger, par exemple, des nouilles aux noms célèbres, plus honorés que leurs propres noms ? des nouilles cotées en Bourse ? Ne sommes-nous pas tous les acteurs potentiels, en apparence fort sollicités, de cette « croissance » censée recéler toutes les solutions ?

Consommer, notre dernier recours. Notre dernière utilité. Nous sommes encore bons pour ce rôle de clients nécessaires à la « croissance » tant portée aux nues, tant désirée, tant promise comme la fin de tous les maux, attendue avec une telle fièvre. Voilà qui rassure ! Encore faudrait-il, pour tenir ce rôle et ce rang, en avoir les moyens. Mais voilà qui rassure davantage encore : que ne fera-t-on pas pour nous donner ces moyens ou pour préserver ceux que nous avons ? « Le client est roi », principe sacré : qui oserait l'enfreindre ?

Mais alors, pourquoi cette paupérisation méthodique, organisée, que l'on dit rationnelle, et même nécessaire, et même prometteuse, et qui va s'aggravant ? Pourquoi tailler presque avec rage, par dizaines de milliers, dans les rangs des consommateurs potentiels supposés représenter à leur tour les « poules aux œufs d'or » des « forces vives de la nation », championnes au jeu des « créations de richesses », elles-mêmes créatrices de tant de pauvreté ? L'économie de marché s'acharne-t-elle à scier la branche sur laquelle elle prétend se trouver ? Se saborderait-elle à coups de « plans sociaux », de « restructurations », de flexibilisation des salaires, de déflation compétitive et autres projets frénétiques visant à abolir les mesures qui permettent encore aux plus démunis de consommer un tant soit peu ? Est-ce par masochisme ?

Voyons ce que représente la croissance pour l'« apôtre de la productivité » aux États-Unis, Stephen Roach [1], qui renonce aujourd'hui à sa passion pour le *downsizing* (terme américain, à peine plus décent que le nôtre, pour « dégraissage »), ce qui ne le retient pas de conjurer l'Europe de s'extraire des temps mérovingiens où elle s'incruste, ni de s'indigner : elle « n'a pas même commencé d'envisager le type de stratégies que nous avons adoptées aux États-Unis »... celles-là mêmes qu'il récuse aujourd'hui !

Stratégies qu'en revanche il conseille vivement à cette Europe retardataire, lui promettant des résultats alléchants. Ainsi, « au fur et à mesure des progrès » qu'il prescrit – et qu'il définit comme « les déréglementations, la globalisation et les privatisations » –, il garantit qu'« inévitablement, aussi triste que cela puisse paraître, il y aura des licenciements » ! S'il recommande à son propre pays de se résigner aujourd'hui à des embauches, l'Europe, en revanche, ne doit surtout pas s'arrêter à de pareils détails : nos pays arriérés ne doivent à aucun prix « s'abriter derrière l'expérience américaine ou prendre prétexte de (sa) nouvelle analyse de la situation pour se défendre contre la nécessité de restructurer ; (ce) serait renoncer à être compétitif ». Mais voyons !

Un homme d'expérience dans un pays en flèche ! Nous serions bien sots de ne pas tirer parti de ses leçons, de ne pas interrompre nos piétinements afin d'atteindre, comme lui, avec les mêmes méthodes, au stade... où il s'est planté ! A quoi juge-t-il d'ailleurs

---

1. *Le Monde,* 29 mai 1996.

qu'il a fait « fausse route » : celle qu'il nous enjoint de prendre ? D'abord, il n'a *pas* fait « fausse route », enfin, pas vraiment : ce sont les autres qui n'ont pas suivi à la lettre ses prescriptions. Et puis, il n'a pu résister à ses penchants louables : dans son « scénario de la reprise économique par la productivité », il avait, nous dit-il, envisagé « un environnement de faible inflation et de croissance soutenue des profits, donc très positif pour les actions et obligations, même si la croissance de l'économie était très lente. » La croissance n'aurait-elle plus de prestige à ses yeux ? Hélas ! M. Roach ne poursuit-il pas : « Je voyais, parallèlement, une forte tendance au *downsizing*, à la compression des coûts de la main-d'œuvre, favorisant un climat économique très constructif. » ? Non ! La croissance n'est décidément pas le souci majeur de l'« apôtre de la productivité ». Le pouvoir d'achat non plus, joyeusement « comprimé ». Leur annihilation ou, à défaut, leur affaiblissement constituent, au contraire, les conditions d'un « climat économique » qu'il juge « très constructif ». On voudrait connaître l'opinion de la « main d'œuvre » et des *downsizés*, héros de cette réussite !

Cette croissance, tant mise en avant, notre « apôtre » nous en dévoile ainsi un tout autre aspect, révélant avec quel enthousiasme elle est considérée par l'économie réelle. Enthousiasme partagé par les gouvernements pratiquant avec ardeur des coupes sombres (encore par dizaines de milliers) cette fois dans les rangs des consommateurs que sont, par exemple, les fonctionnaires, lesquels ne dépendent pas du secteur privé, mais n'en doivent pas moins être jugés « rentables » selon les critères des marchés. Non pas nécessaires, compétents, mais « rentables » – relativement à quelle instance sacrée ? Peu importe si, malgré les clichés ressassés avec tant de complaisance et qui les décrivent en nantis paresseux, profiteurs nonchalants, vampires assoiffés, ils sont, par ailleurs, nécessaires en tant qu'enseignants, employés à la santé, aux services publics, ou même en tant que... consommateurs ! Le manque de personnel dans les hôpitaux, les lycées, les collèges, les trains, etc., est un fait avéré, mais, par économie (en vue de quoi ? pour obtenir quoi d'autre ?), ce personnel fait l'objet de « dégraissages » massifs. Ici, l'automatisation qui permet d'économiser de la main-d'œuvre tout en préservant les résultats n'est pas responsable de ces licenciements, de ces compressions d'effectifs. L'est seul le mépris.

Et aussi le fait (tout à fait remarquable) d'avoir pu faire partager ce mépris par un public sur lequel il s'exerce en priorité ! Et qui subit ses conséquences.

Contradiction flagrante entre la précarisation créée tous azimuts et l'expression claironnée d'une croissance soi-disant ardemment espérée, présentée comme un remède à tous les maux. Est-il certain que le but véritable soit *cette* croissance-*là*, qui enrayerait *ces* maux-*là* ? Et non une croissance des spéculations financières et des marchés plus ou moins virtuels − du « capitalisme électronique » − si dissociés de la croissance en question ?

Mais, dans un tel contexte, qu'en est-il de la publicité qui semble si capitale, et qui, paraissant tout coiffer, nous fait vivre dans un monde non plus réifié, mais labellisé, où, si les gens voient souvent leurs noms remplacés par des sigles, les choses, elles, portent des noms propres, au point de former une population de labels qui hante les esprits, les obsède, focalise les pulsions ? Au point qu'à la limite, aux noms de « marques » pourrait tout aussi bien finir par ne correspondre aucun produit ?

Au moyen de plus de séductions et de ruses que n'en ont jamais cultivé aucune courtisane, aucun prosélyte, à coups d'évocations, d'associations libidinales, c'est pour des labels qu'on nous fait défaillir. Nos fantasmes, nos réactions les plus subliminales sont, sur la place publique, disséqués. Que nous soyons gens de droite ou de gauche, on sait comment nous vendre à tous les mêmes raviolis, de la même façon. Ou du parfum, ou du fromage. Ou du chômage. Que nous soyons ou non preneurs, on sait que nous prendrons. Et ce que nous prendrons.

Peut-être l'intérêt véritable de la publicité réside-t-il de plus en plus dans ces dernières fonctions : dans la distraction puissante qu'elle suscite ; dans l'environnement culturel qu'elle sature, le maintenant au plus près du degré zéro ; mais, surtout, dans le détournement du désir, dans cette science du désir qui permet de le conditionner, de persuader d'abord qu'il y en a ; ensuite, qu'il y en a seulement là où il est indiqué. Et surtout pas ailleurs.

Peut-être le rôle de la publicité devient-il plus politique qu'économique, plus catéchistique que promotionnel. Peut-être sert-elle surtout à supprimer pour de bon Mallarmé et sa mitrailleuse ? Peut-être, à l'insu même de ceux qui la pratiquent, le rôle du consommateur, une fois assoupi, n'a-t-il que très peu d'importance et ne représente-t-il plus le véritable enjeu ? Peut-être nous en laisse-t-on l'illusion, mais comme par politesse. Par prudence aussi, non sans une certaine patience : on ne sait jamais, ces enfants peuvent se montrer tellement insupportables, comment deviner ce qu'ils pourraient encore inventer ?

Stephen Roach en est bien conscient, lui aussi. S'il se réjouit du fait que, « dans un monde où la compétition est de plus en plus intense, c'est toujours l'employeur qui a le pouvoir », il soupire néanmoins : « Mais, dans l'arène de l'opinion publique, les règles du jeu sont différentes : les chefs d'entreprises et les actionnaires font l'objet d'attaques sans précédent. » On se demande s'il ne fantasme tout de même pas quelque peu sur l'importance et les conséquences potentielles de ces attaques. Mais il est surtout intéressant de remarquer que toute résistance a un impact, puisque M. Roach se voit obligé de conclure : « La vérité, c'est qu'on ne peut pas éternellement presser la main-d'œuvre comme un citron. » On croit entendre ici des sanglots dans la voix.

En attendant, on brade. On taille avec ardeur dans les effectifs de tous bords, tout en proclamant, en promettant (toujours la politesse) des lendemains qui travailleront. On sabote les niveaux de vie tout en faisant appel à la confiance. On désintègre des institutions, on dégrade des acquis sociaux, mais, chaque fois, pour les préserver, pour leur donner une dernière chance : « C'est pour mieux te sauver, mon enfant ! »

Cela, toujours au nom de catastrophes suspendues, autant d'épées de Damoclès dont on nous entretient sans grand détail, à coups de « déficits », de « trous » à combler d'urgence. L'affolement géré, mais en fonction de quoi ? Qu'en est-il de ces calamités supposées prêtes à fondre sur nous et à nous dévorer... si nous ne nous laissons pas d'abord dévorer par ceux qui en font la publicité ? Quelles précisions nous donne-t-on ? Ce « déficit », par exemple, quel monstre représente-t-il ? Quel désastre exactement, qui serait pire que ceux fomentés par les mesures destinées à le combler ? N'y a-t-il pas d'alternative qu'il serait au moins possible d'envisager, quitte à garder le cap ensuite ? Que vise-t-on ? La bonne marche des marchés ou le bien-être, voire la survie des populations ?

Et puis, cet argent qui manque existe ! Très particulièrement réparti, mais il existe. Nous n'insisterons pas, ce serait peu « correct ». Il ne s'agit ici que d'une simple remarque – en passant, et d'un pas très rapide...

Ne faut-il pas respecter avant tout le principe essentiel : ne pas troubler l'opinion ? Ne pas troubler son silence. Ce silence dont on se demande comment il a été obtenu. « La force est la reine du monde, et non pas l'opinion. – Mais l'opinion est celle qui use de la force. – C'est la force qui fait l'opinion. » On a reconnu Pascal. Mais Pascal n'est pas ni ne fut jamais, c'est l'évidence, une « force vive de la nation » !

Que visent donc ce désordre vague et méthodique, cette anarchie économique, ce « dogme du laissez-faire[1] » qui nous entraînent irrésistiblement hors du champ de nos vies, de la vie ?

Ne voit-on pas que rien ne se passe, ne se décide sur la scène que l'on nous donne à voir, celle que nous occupons, alors qu'autour de nous tout s'affaire pourtant à le laisser croire ?

Nous est-il encore possible d'exercer d'autres choix que ceux ayant trait aux épiphénomènes de décisions déjà prises à l'intérieur d'un système unique, instauré déjà, mondialisé, dont on commence seulement à prendre (mais si peu) conscience ? Serait-il pensable de proposer – de proposer seulement – ce qui semblerait aller tant soit peu à l'encontre des intérêts des marchés privés (ou, même, ce qui ne semblerait pas se précipiter tout à fait dans leur sens) sans se voir objecter aussitôt, si même on a donné le temps à ces suggestions d'être émises : « Dieu du ciel ! Mais, à

---

1. Karl Polanyi, *La Grande Transformation : aux origines politiques et économiques de notre temps,* Gallimard, 1983. Première publication aux États-Unis en 1944.

entendre cela, rien qu'à l'entendre, elles vont fuir, déménager, vider le plancher, elles se barreront, se tireront, prendront la tangente, la poudre d'escampette, leurs cliques et leurs claques, elles se carapateront ! » Il s'agit, on l'aura compris, de nos chères « forces vives », si volages, véloces, volatiles, toujours prêtes à s'envoler avec leurs entreprises et leurs reliquats d'emplois, ces déchets menacés, ou plutôt menaçants (avec, en vérité, les menaces et les chantages attachés à l'emploi), vers ces ailleurs où les attendent en permanence des peuples sages, des populations soumises, des nations « adaptées ».

Il n'est de pays qui ne soit averti de l'aptitude des « forces vives » à quitter toute nation (la leur en particulier) pour aller vers celles qui seront plus dociles. Il n'est de pays qui ne se veuille inscrit sur leur liste des contrées fréquentables et qui ne se soit converti en municipalité de l'ordre mondialisé.

Partout, donc, le même jeu. Plus un coin dans le monde qui ne soit investi. Partout – et de plus en plus dans cette Europe dévergondée que l'on ramène vigoureusement à la raison –, ces discours qui annoncent la réduction des dépenses publiques (à défaut de leur abolition), l'organisation de « plans sociaux » massifs, la flexibilité accrue du travail. Mais partout aussi les mêmes leitmotive qui ponctuent ces discours, affirmant que ce dispositif mondialisé qui installe et fait s'enraciner un système économique autoritaire, indifférent aux habitants de ce monde – mais par nature antagoniste à leur présence inutile, déjà proche d'être parasitaire, car désormais non rentable –, que ces mesures manifestement néfastes ont pour but essentiel, cela va sans dire, de « combattre le chômage », de « lutter pour l'emploi ».

Leitmotive formulés avec une nonchalance croissante, de plus en plus mécaniquement, car personne n'est dupe. Chacun semble au contraire étrangement complice : et ceux qui ont la bonté de bien vouloir encore se donner le mal d'user de ces périphrases courtoises à l'égard de populations qui n'ont plus d'avis à donner, mais qui leur réclament ces promesses, supportent leurs parjures, et ne demandent rien, après tout, que d'être exploitées ; et ces dernières, qui, tels des enfants réclament sans fin la même histoire à laquelle ils ne croient pas mais font semblant de croire, car ils ont peur du silence et de ce qui n'est pas dit, qu'ils pressentent et ne veulent pas savoir.

Refus de jamais entendre, jamais voir que tout concourt à projeter leur absence, que tout rétrécit, se désertifie autour d'eux. Que les signaux d'un monde réduit à n'être plus qu'économique semblent bien avertir qu'ils en représentent la dépense superflue.

Celle que l'on chasse, à l'affût, et dont on n'a de cesse qu'elle soit supprimée. Et s'il s'agit d'êtres vivants ? La morale en cours exige avant tout, question d'éthique, des bilans irréprochables.

Ainsi, tacitement menacés, nous immobilise-t-on dans des espaces sociaux condamnés, ces lieux anachroniques qui s'autodétruisent mais où nous sommes si éperdument, si étrangement désireux de demeurer, tandis que l'avenir s'organise sous nos yeux en fonction de notre absence déjà plus ou moins sciemment programmée.

Cela, nous faisons tout au monde pour l'ignorer. Tout, plutôt que de percevoir cette mise à l'écart de plus en plus systématique, cette relégation au sein d'un système qui se désintègre tandis que prend place un âge contemporain qui ne nous est pas synchrone. Tout, plutôt que d'enregistrer le hiatus instauré entre une économie de marché, devenue propriétaire exclusive de ce monde, et ceux qui habitent ce monde, prisonniers de sa géographie. Tout, plutôt que de tenir cette solution de continuité pour réelle, d'autant que dirigeants et stratèges du régime nouveau (qui n'est pas déclaré) nous adressent, par l'intermédiaire de la classe politique, quelques discours répondant encore à nos codes et dont la redondance nous berce, nous rassure.

Or, si les maîtres de cette économie persistent à ruiner ce qui n'est déjà plus que ruines, à exploiter les vestiges d'une ère disparue, à gérer la vie depuis leur microcosme, à l'heure d'une ère nouvelle à laquelle n'ont point accès leurs contemporains, et, surtout, s'ils persistent à donner pour seules clés de la vie ce travail qu'ils évacuent (non sans veiller à ce qu'il paraisse garder ses valeurs), ils finiront bien par trouver une réponse à la question, non encore formulée, à propos de leurs congénères : « Comment s'en débarrasser ? » Mais il s'agit là d'une histoire dont eux-mêmes, sans doute, n'ont pas conscience, pas plus que du péril qu'ils font peser sur nous, sans rencontrer d'ailleurs aucune résistance. Passivité qui représente le fait le plus inattendu. C'est ce désintérêt, cette résignation, cette apathie mondialisée qui pourraient permettre au pire de s'installer. Le pire, qui est à notre porte.

Il y eut, certes, des temps de plus amère détresse, de misère plus âpre, d'atrocités sans mesure, de cruautés infiniment plus ostentatoires ; il n'y en eut jamais d'aussi froidement, d'aussi généralement, d'aussi radicalement périlleux.

Si la férocité sociale a toujours existé, elle avait des limites impérieuses, car le travail issu des vies humaines était indispensable à ceux qui détenaient la puissance. Il ne l'est plus ; il est au contraire devenu encombrant. Et ces limites s'effondrent. Entend-on ce que cela signifie ? Jamais l'ensemble des humains ne fut aussi menacé dans sa survie.

Quelle qu'ait pu être l'histoire de la barbarie au cours des siècles, jusqu'ici l'ensemble des humains a toujours bénéficié d'une garantie : il était essentiel au fonctionnement de la planète comme à la production, à l'exploitation des instruments du profit dont il figurait une part. Autant d'éléments qui le préservaient.

Pour la première fois, la masse humaine n'est plus matériellement nécessaire, et moins encore économiquement, au petit nombre qui détient les pouvoirs et pour qui les vies humaines évoluant à l'extérieur de leur cercle intime n'ont d'intérêt, voire d'existence – on s'en aperçoit chaque jour davantage – que d'un point de vue utilitaire.

Le rapport de forces, jusqu'ici toujours latent, s'anéantit. Disparus, les garde-fous. Les vies ne sont plus d'utilité publique. Or c'est précisément en fonction de leur utilité relative à une économie devenue autonome, qu'elles sont évaluées. On voit où guette le danger, encore virtuel mais *absolu*.

Au cours de l'Histoire, la condition humaine fut souvent plus malmenée que de nos jours, mais c'était par des sociétés qui, pour persister, avaient besoin des vivants. Et de vivants subalternes en grand nombre.

Tel n'est plus le cas. C'est pourquoi il devient si grave aujourd'hui – en démocratie, en des temps où l'on a et l'expérience de l'horreur, et, comme jamais, les moyens d'être socialement lucide – oui, si grave d'observer le rejet inexorable de ceux qui ne sont plus nécessaires, non pas aux autres hommes, mais à une économie de marché pour laquelle ils ne sont plus une source potentielle de profit. Et l'on sait qu'ils ne le redeviendront pas.

L'opprobre dans lequel on les tient, la punition qu'on leur inflige et qui semble aller de soi, la violence arrogante et désinvolte qu'ils ont à subir, l'assentiment ou l'indifférence, la passivité de tous – eux compris – devant la montée du malheur, pourraient être annonciateurs de dérives sans limites, car

les masses molestées ne sont désormais plus nécessaires aux desseins de ceux qui les tourmentent.

On voit par là le danger qui, pour le moins, les
menace à plus ou moins longue échéance, cependant
qu'inconscientes (ou s'évertuant à l'être) elles se
veulent et se vivent mentalement dans une dynamique
contredite par les faits, où le travail continuerait
d'être la norme et le « chômage » une conséquence
passagère de conjonctures capricieuses. Le fait qu'aujourd'hui l'absence de travail soit devenue la norme
officieusement instituée semble échapper aux demandeurs d'emploi comme à toute la société, aux discours officiels, à la législation. Si l'on commence (à
peine) à y faire allusion, c'est le plus souvent pour
enchaîner sur des promesses paradoxales de lendemains affairés où chanteront les salaires et le plein
emploi, ou sur des concertations alambiquées et
redondantes visant à restaurer à l'identique le système
qui s'est conduit à l'autodestruction.

Pourquoi donc s'acharner à fourrer à toute force du
travail là où il n'en est plus besoin ? Pourquoi ne pas
renoncer à la notion même de ce qui nous trahit,
se dérobe, ou qui a déjà fui : le travail tel que nous
l'entendons ? Pourquoi ce *must* de l'emploi, de cet
emploi-là des hommes voués à leur propre « emploi »
à tout prix, même au prix de leur perdition (puisqu'il
n'y a plus d'emploi, puisqu'il est au mieux en train
de disparaître) comme s'il ne pouvait exister d'autre
« emploi » à leur vie, à la vie, que d'être ainsi « uti-
lisés » ?

Pourquoi ne semble-t-on pas même envisager de
s'adapter aux exigences de la mondialisation, en
s'exerçant non pas à la subir, *mais à s'en dégager* ?
Pourquoi ne pas chercher avant tout *un mode de
répartition et de survivance qui ne serait pas fonc-*

166

tion d'une rémunération d'emploi ? Pourquoi ne pas chercher, ne pas exiger pour l'« emploi » de la vie – celle de l'ensemble humain – un autre sens que l'« emploi » de l'ensemble des individus par quelques-uns, d'autant plus que cela même se révèle désormais impossible ?

A cela, bien des raisons, à vrai dire. Citons-en quelques-unes, majeures :

D'abord, la difficulté et l'envergure d'une telle entreprise qui est de l'ordre de la métamorphose. Et puis, l'intérêt des puissances économiques à dissimuler précisément... les camouflages qu'elles ont suscités ou accentués, qui reconduisent l'illusion d'une présence du travail donnée pour provisoirement interrompue – intervalle certes jugé détestable, mais que l'on jure d'abréger. Duperie, mirage aux fins d'emprise sur le grand, sur l'immense nombre maintenu, fragilisé, dans une impasse qui le met à merci. Désir d'exploiter ce qui peut l'être encore des vestiges du travail humain tout en préservant une cohésion sociale acquise par le biais de la déconfiture, de la honte, de la terreur froide et refoulée de foules séquestrées dans les logiques périmées, aujourd'hui destructrices, d'un travail qui n'est plus.

Autre raison : le désarroi sincère et général, sans doute partagé même par les dirigeants d'une économie carnassière, face à une forme de civilisation neuve et déconcertante, surtout lorsqu'il s'agit de renoncer de façon si soudaine et si radicale à l'ancienne. C'est beaucoup demander, et à tous, face à cette métamorphose, à ce passage à une autre ère, de réussir à s'intégrer, d'avoir ou de trouver le génie nécessaire qui parviendrait à métamorphoser aussi la nature humaine, ses cultures les plus prégnantes, et les voies de la pensée, celles du sens, des actes et des répartitions. Et à préserver ainsi, sans dommages, la vie des vivants.

Ces vivants qui semblent assister, incrédules et comme consentants, à leur propre évacuation du *planning* mondialisé, et qui s'empressent de tenir leur tragique fragilité sociale pour la suite logique et même banale de lacunes et de fautes dont ils seraient seuls responsables et qu'il leur reviendrait, à eux seuls, de payer – voire pour une fatalité.

Résignation peut-être due au refoulement d'une découverte atterrante, inassimilable, celle de la seule valeur réelle, dramatiquement réductrice, puissamment décevante, qui leur est et leur a sans doute toujours été attribuée : celle mesurée à leur « rendement » économique, distinct de toute autre qualité, ce qui les fait évaluer *au-dessous* du niveau des machines. Et ce qui ne leur confère d'autres droits – pas même, à la limite, celui de vivre – que ceux liés à leur travail, alors que s'effondrent les conditions qui leur donnaient accès à ces droits.

Renoncement dû encore au sentiment de ne plus disposer d'aucun moyen de pression face à une cohésion coercitive qui détient la puissance et qui leur semble à tort avoir surgi, soudaine et indéchiffrable, imprévue.

Un effet de stupeur, en quelque sorte, qui n'est pas sans rappeler l'abattement des peuples colonisés par des hommes qui avaient, pour le meilleur ou pour le pire, atteint un âge de l'Histoire autre que celui où s'activaient encore ceux qu'ils envahissaient et dont la civilisation se trouvait abrogée par la leur. Les valeurs bafouées des indigènes devenaient inopérantes dans les lieux mêmes où elles s'étaient épanouies, où hier encore elles se déployaient, mais où ils se retrouvaient vaincus, comme en exil, face au pouvoir qui s'installait sans leur conférer les moyens de pénétrer libres, à égalité, dans le nouveau système importé de force, et sans leur donner droit à aucun droit.

Les usurpateurs s'octroyaient en revanche tous les droits sur eux qui, suspendus hors de leurs modes de vie, de pensée, de croyance et de savoir, désormais sans repères, proprement *sidérés*, finissaient par perdre leur énergie et toute capacité, mais plus encore tout désir, dont celui de comprendre, *a fortiori* de résister. Des peuples à la sagesse, à la science et aux valeurs aujourd'hui reconnues, souvent de bons guerriers, s'effaçaient, verrouillés dans une civilisation prédatrice qui n'était pas la leur et qui les rejetait. Des peuples pétrifiés, paralysés, tétanisés, en souffrance entre deux ères, vivant en des temps antérieurs, en d'autres chronologies que celles de leurs conquérants, lesquels leur infligeaient leur propre présent sans en rien partager. Et cela, en des lieux qui, composant tout leur monde, tout ce qu'ils savaient et imaginaient du monde, devenaient leur prison puisque, pour eux, n'existait pas d'ailleurs.

Cela n'évoque-t-il rien ?

Ne sommes-nous pas effarés, nous aussi, piégés au sein d'un monde familier mais passé sous une emprise qui nous est étrangère ? Sous l'empire mondialisé de la « pensée unique », au sein d'un monde qui ne fonctionne plus à la même heure que nous, qui ne répond plus à nos chronologies, mais dont l'horaire commande. Un monde sans ailleurs, car tout entier sous cette emprise, mais auquel nous nous agrippons, acharnés à demeurer ses sujets douloureux, à jamais éblouis par sa beauté, par ses offrandes, ses échanges, et désormais hantés par le souvenir du temps où, submergés de travail, nous pouvions encore dire : « Nous ne mourrons pas, nous sommes trop occupés. »

Nous n'en sommes aujourd'hui qu'au stade de la surprise, d'un certain dépérissement, d'une mise en condition. La tragédie n'est pas encore spectaculaire. Néanmoins, au cœur même, au plus près du nerf de ce que l'on tient pour l'acmé de la civilisation, des « civilisés » de cette civilisation excluent ceux qui ne conviennent plus et dont on sait que le nombre ira grandissant dans des proportions que l'on imagine mal. On tolère encore les autres, mais de moins en moins d'autres, avec de plus en plus d'impatience et dans des conditions de plus en plus sévères, selon des points de vue de plus en plus ouvertement brutaux. On ne cherche plus tant les alibis, les excuses : le système est tenu pour acquis. Fondé sur le dogme du profit, il est au-delà des lois, qu'au besoin il dérègle.

Aujourd'hui, déjà, les régions où l'on tient encore mollement compte de la condition humaine – avec une telle frilosité, de telles réticences et comme à regret, comme avec remords –, ces régions sont montrées du doigt, vilipendées par des Gary Becker, implicitement désapprouvées par les Banque mondiale et autres OCDE, sans compter tous les fervents de la « pensée unique » qui, unis aux « forces vives » de toutes les nations, s'emploient à ramener ces excentriques à la raison. Avec succès.

Face à cela, quels contre-pouvoirs ? Aucun. Sans incidents, les voies s'ouvrent aux barbaries minaudières, au saccage en gants blancs.

Ce n'est là qu'un début. Il faut être très attentif à cette sorte de débuts : ils n'apparaissent jamais d'abord comme criminels, ni même comme vraiment dangereux. Ils se déroulent avec l'accord de gens tout à fait charmants, doués de bonnes manières et de bons

170

sentiments, qui ne feraient pas de mal à une mouche, et qui, d'ailleurs – s'ils prennent le temps d'y penser –, jugent regrettables, mais hélas inévitables, certaines situations, et qui ne savent pas encore que c'est là, *à ce point même* que s'inscrit l'Histoire, celle qu'ils n'auront pas perçue alors qu'elle se tramait, alors qu'avaient lieu les prémices d'événements qui seraient jugés plus tard « indicibles ».

Sans doute est-ce à travers cet ordre d'événements-là (en leur temps passés inaperçus ou, plutôt, censurés, scotomisés) que se dessine souvent l'Histoire. Ce sont eux qui en deviendront plus tard – trop tard – les signes lisibles qu'on avait, à l'époque, à peine remarqués.

Pour n'avoir pas été conscients de ce que signifiait, dès ce début, le sort de nos contemporains sacrifiés, tenus pour un troupeau sans nom, peut-être que, lorsqu'ils auront subi toutes les épreuves qui en auront résulté, épreuves qui se seront propagées, de plus en plus permissives – et si tant est qu'elles prennent fin –, peut-être en viendra-t-on à dire encore qu'elles étaient « indicibles » et qu'« il ne faut surtout pas oublier ». Mais on ne pourra pas oublier : on n'aura jamais su.

Peut-être aussi y aura-t-il encore quelqu'un en situation de dire : « Plus jamais ça. » Mais peut-être, un jour, n'y aura-t-il plus personne capable même de le penser.

Exagérations ? C'est ce qui se dit « avant », alors qu'il serait encore temps de savoir qu'un ongle, un cheveu touchés, un outrage peuvent constituer déjà l'amorce du pire. Et que les crimes *contre* l'humanité sont toujours des crimes *de* l'humanité. Par *elle* perpétrés.

Ce siècle nous a appris que rien ne dure, pas même

les régimes les plus « bétonnés ». Mais aussi que tout est possible dans l'ordre de la férocité. Férocité désormais apte comme jamais à se déchaîner sans frein ; on sait qu'avec les technologies nouvelles, elle disposerait aujourd'hui de moyens décuplés auprès desquels les atrocités passées paraîtraient n'avoir été que des brouillons timides.

Comment ne pas songer aux scénarios possibles sous un régime totalitaire qui n'aurait guère de difficultés à se « mondialiser », et qui disposerait de moyens d'élimination d'une efficacité, d'une ampleur et d'une rapidité jamais encore imaginées : génocide clés en main.

Mais peut-être trouverait-on dommage de ne pas mieux profiter de ces troupeaux d'humains ; de ne pas les garder en vie à des fins diverses. Entre autres, comme réserves d'organes à greffer. Cheptel d'humains sur pied, stocks d'organes vivants où l'on puiserait à volonté selon les besoins des privilégiés du système.

Exagéré ? Mais qui d'entre nous hurle en apprenant qu'aux Indes, par exemple, des pauvres vendent leurs organes (rein, cornée, etc.) afin de subsister un temps ? On le sait. Et il y a des clients. On le sait. Cela a lieu aujourd'hui. Ce commerce existe, et depuis les régions les plus riches, les plus « civilisées », on vient faire ses emplettes et à très bon marché. On sait qu'en d'autres pays, on vole ces organes – rapts, meurtres – et qu'il y a des clients. On le sait. Qui hurle, sinon les victimes ? Quels boucliers levés contre le tourisme sexuel ? Seuls à réagir, les consommateurs : ils se précipitent. On le sait. Et qu'il faudrait s'attaquer non pas tant aux épiphénomènes que sont la vente d'organes humains ou le tourisme sexuel, mais au phénomène qui en est l'origine : la pauvreté dont

172

on sait, répétons-le, qu'elle conduit des pauvres à se faire mutiler au bénéfice de possédants, à seule fin de survivre encore un peu. C'est accepté. Tacitement. Et nous sommes en démocratie, libres, nombreux. Qui bouge, si ce n'est pour refermer un journal, éteindre le téléviseur, docile à l'injonction de demeurer confiant, souriant, ludique et béat (si l'on n'est pas déjà caché, vaincu et honteux), tandis que le sérieux, la gravité s'activent, invisibles, souterrains et funestes, au sein d'un mutisme quasi général entre-coupé de jacasseries qui promettent de guérir ce qui est déjà mort ?

Discours sur discours annonçant « de l'emploi » qui n'apparaît pas, qui n'apparaîtra pas. Locuteurs et auditeurs, candidats et électeurs, politiciens et publics le savent tous, ligués autour de ces incantations pour oublier et nier, avec des motivations diverses, ce savoir.

Cette attitude-là, qui fuit le désespoir au moyen de mensonges, de camouflages, de fuites aberrantes, est désespérée, désespérante. Prendre le risque de l'exactitude, le risque du constat, même s'ils conduisent à un certain désespoir, est au contraire le seul geste qui, lucide quant au présent, préserve l'avenir. Il offre dans l'immédiat la force de parler encore, de penser et de dire. De tenter d'être lucide, de vivre au moins dans la dignité. Avec « intelligence ». Et non dans la honte et la crainte, terré dans un piège à partir duquel plus rien n'est permis.

Avoir peur de la peur, peur du désespoir, c'est ouvrir la voie aux chantages que nous connaissons trop.

Les discours qui survolent les vrais problèmes ou les faussent, qui les font dévier sur d'autres, artificiels, les discours qui sans fin ressassent les mêmes promesses intenables, ces discours-*là* sont passéistes et remuent sans fin des nostalgies qu'ils utilisent. Ces discours-là sont désespérés, qui n'osent plus même approcher le désespoir, prendre le risque du désespoir, lequel est la seule chance de voir renaître la capacité de lutter. Ils empêchent aussi de se faire le deuil si difficile de ces repères qu'étaient entre autres le salaire qui vous évaluait, les dates qui jalonnaient la vacuité du temps : horaires, congés, retraites, calendriers solides et contraignants qui offraient souvent, dans la chaleur des groupes, l'illusion de saturer le temps et de faire ainsi écran à la mort.

Ces discours-*là* font le jeu des partis populistes, autoritaires, qui sauront toujours mentir davantage et mieux. Oser réfléchir dans l'exactitude, oser dire ce que chacun redoute, mais souffre de prétendre ignorer et de voir ignoré, cela seul pourrait peut-être créer encore un peu de confiance.

Il ne s'agit pas de gémir sur ce qui n'est plus, de nier et renier le présent. Il ne s'agit pas de nier, de refuser la mondialisation, l'essor des technologies[1], qui sont des faits, et qui auraient pu être exaltants autrement que pour les seules « forces vives ». Il s'agit *au contraire* de les prendre en compte. Il s'agit de ne plus être colonisés. De vivre en connaissance de cause, de ne plus accepter telles quelles les analyses économiques et politiques qui les survolent, ne les mentionnant que comme autant d'éléments

---

1. Ni, dans un autre ordre, de supprimer ou même de renier les bricolages tentés pour diminuer un tant soit peu ce que l'on nomme « chômage ». Le moindre résultat jouant dans le présent, à l'avantage de toute personne, est trop précieux, mais à condition de le donner pour ce qu'il est, et non de l'utiliser pour conforter l'imposture, prolonger l'anesthésie.

menaçants, obligeant à des mesures cruelles, lesquelles empireront si on ne les subit en toute docilité.

Analyses, ou plutôt comptes rendus péremptoires, selon lesquels la modernité, réservée aux sphères dirigeantes, ne s'applique qu'à l'économie de marché, et n'est opérante qu'aux mains de ses décideurs. Ailleurs, on est censé vivre à l'ancienne, dans une sorte de « Son et Lumière », de rétrospective où le présent ne joue aucun rôle et n'en confère aucun, où l'on est relégué dans un système qui n'a plus cours, où l'on est condamné.

Face à cela, il est tout de même étrange que l'on ne songe jamais à s'organiser *à partir* de l'absence de travail, au lieu de provoquer tant de souffrances, et de si stériles, de si périlleuses, en démentant cette absence, cette disparition, en les donnant pour un simple intermède que l'on ignore ou que l'on prétend combler, voire supprimer, dans des délais et des temps imprécis, sans cesse reconduits, tandis que s'installent le malheur, le danger.

Promesse d'une résurrection des spectres, qui permet de pressurer toujours davantage, tant qu'il en est encore temps, ou de mettre sur la touche ceux, toujours plus nombreux, que cette absence réduira bientôt, si ce n'est déjà fait, à l'esclavage. Voire acculera à la disparition. A l'élimination.

Plutôt que d'attendre dans des conditions désastreuses les résultats de promesses qui ne se concrétiseront pas, plutôt que de guetter en vain, dans la détresse, le retour du travail, les galops de l'emploi, serait-il insensé de rendre décente, viable par d'autres voies, et *aujourd'hui*, la vie de ceux qui, en l'absence, bientôt radicale, du travail ou plutôt de l'emploi, sont tenus pour déchus, pour exclus, pour superflus ? Il est à peine temps encore d'inclure ces vies, nos vies, dans leur propre sens, leur sens véritable : celui, tout bête, de la vie, de sa dignité, de ses droits. Il est à peine temps de les soustraire au bon plaisir de ceux qui les bafouent.

Serait-il insensé d'espérer enfin, non pas un peu d'amour, si vague, si aisé à déclarer, si satisfait de soi, et qui s'autorise à user de tous les châtiments, mais l'audace d'un sentiment âpre, ingrat, d'une rigueur intraitable et qui se refuse à toute exception : le respect ?

BIBLIOGRAPHIE

Adret, *Travailler deux heures par jour,* Seuil, 1979.

Albert Michel, *Capitalisme contre capitalisme,* Seuil, 1991.

Alvi Geminello, *Le Siècle américain en Europe (1916-1933),* Grasset, 1995.

André Catherine, Sicot Dominique, *Le Chômage dans les pays industrialisés,* Syros, 1994.

Arendt Hannah, *L'Impérialisme,* Fayard, 1982.

Arendt Hannah, *Condition de l'homme moderne,* Calmann-Lévy, 1983.

Attali Jacques, *Les Trois Mondes,* Fayard, 1981.

Attali Jacques, *Lignes d'horizon,* Fayard, 1990.

Balandier Georges, *Pour en finir avec le XXᵉ siècle,* Fayard, 1994.

Bandt Jacques de, Dejours Christophe, Dubar Claude, *La France malade du travail,* Bayard, 1995.

Baudrillard Jean, *Les Stratégies fatales,* Grasset, 1983.

Baudrillard Jean, *Le Crime parfait,* Galilée, 1995.

Bernard Philippe, *L'Immigration,* Le Monde-Marabout, 1994.

Bernoux Philippe, *La Sociologie des entreprises,* Seuil, 1995.

Bidet Jacques, Texier Jacques *(sous la direction de), La Crise du travail,* PUF, 1995.

Bihr Alain, Pfefferkorn Roland, *Déchiffrer les inégalités,* Syros, 1995.

Boissonnat Jean *(rapport sur la commission présidée par), Le Travail dans 20 ans,* Odile Jacob, 1995.

Bourdieu Pierre, *La Misère du monde,* Seuil, 1993.

Bourguignat Henri, *La Tyrannie des marchés, essai sur l'économie virtuelle,* Economica, 1995.

Brie Christian de, « Au carnaval des prédateurs », *Le Monde diplomatique,* mars 1995.

Brisset Claire *(sous la direction de),* préface de Martine Aubry, *Pauvretés,* Hachette, 1996.

Burguière André, Revel Jacques *(sous la direction de), Histoire de la France,* Seuil, 1989.

Camus Renaud, *Qu'il n'y a pas de problème de l'emploi,* POL, 1994.

Cassen Bernard, « Chômage, des illusions au bricolage », *Le Monde diplomatique,* octobre 1995.

Castel Robert, *Les Métamorphoses de la question sociale : une chronique du salariat,* Fayard, 1995.

Castro Josué de, *Géographie de la faim,* Seuil, 1961.

Chanchabi Brahim, Chanchabi Hedi, Spire Juliette Wasserman, *Rassemblance, Un siècle d'immigration en Île-de-France,* Aidda, CDRII, Écomusée de Fresnes, 1993.

Charlot Bernard, Bartier Élisabeth, Roche Jean-

Yves, *École et savoirs dans les banlieues de Paris,* Armand Colin, 1992.

Chatagner François, *La Protection sociale,* Le Monde-Marabout, 1993.

Chauvin Michel, *Tiers monde, la fin des idées reçues,* Syros, 1991.

Chesnais François, *La Mondialisation du capital,* Syros, 1994.

Chossudovsky Michel, « Sous la coupe de la dette », *Le Monde diplomatique,* juillet 1995.

Clerc Denis, Lipietz Alain, Satre-Buisson Joël, *La Crise,* Syros, 1985.

Closets François de *(sous la direction de), Le Pari de la responsabilité,* Payot, 1989.

Closets François de, *Le Bonheur d'apprendre et comment on l'assassine,* Seuil, 1996.

Colombani Jean-Marie, *La Gauche survivra-t-elle au socialisme ?,* Flammarion, 1994.

Cotta Alain, *L'Homme au travail*, Fayard, 1987.

Cotta Alain, *Le Capitalisme dans tous ses états*, Fayard, 1991.

Courtieu Guy, *L'Entreprise, société féodale,* Seuil, 1975.

Daniel Jean, *Voyage au bout de la nation,* Seuil, 1995.

Debray Régis, *Le Pouvoir intellectuel en France,* Ramsay, 1979.

Debray Régis, *L'État séducteur : les révolutions médiologiques du pouvoir,* Gallimard, 1993.

Decornoy Jacques, « Travail, capital... pour qui

chantent les lendemains », *Le Monde diplomatique,* septembre 1995.

Defalvard Hervé, *(sous la direction de), Essai sur le marché,* Syros, 1995.

Derrida Jacques, *Spectres de Marx : l'état de la dette, le travail du deuil et la nouvelle Internationale,* Galilée, 1993.

Desanti Jean-Toussaint, *Le Philosophe et les pouvoirs,* Calmann-Lévy, 1976.

Dubet François, Lapeyronnie Didier, *Les Quartiers d'exil,* Seuil, 1992.

Duby Georges, *An 1000, An 2000, sur les traces de nos peurs,* Textuel, 1995.

Duhamel Alain, *Les Peurs françaises,* Flammarion, 1993.

Dumont Louis, *Homo aequalis : genèse et épanouissement de l'idéologie économique,* Gallimard, 1985.

Esprit, « L'Avenir du travail », août-septembre 1995.

Ewald François, *L'État-providence,* Grasset, 1986.

Ezine Jean-Louis, *Du train où vont les jours,* Seuil, 1994.

Faye Jean-Pierre, *Langages totalitaires : la raison critique de l'économie narrative,* Hermann, 1980.

Field Michel, *Jours de manifs,* Textuel, 1996.

Finkielkraut Alain, *La Défaite de la pensée,* Gallimard, 1989.

Fitoussi Jean-Paul, *Le Débat interdit : monnaie, Europe, pauvreté,* Arléa, 1995.

Fitoussi Jean-Paul, Rosenvallon Pierre, *Le Nouvel Age des inégalités,* Seuil, 1996.

Flaubert Gustave, *Madame Bovary,* Pléiade, tome 1, Gallimard.

Forrester Viviane, *La Violence du calme,* Seuil, 1980.

Forrester Viviane, *Van Gogh ou l'enterrement dans les blés,* Seuil, 1983.

Forrester Viviane, *Ce soir, après la guerre,* Livre de Poche, 1992.

Fretillet Jean-Paul, Veglio Catherine, *Le GATT démystifié,* Syros, 1994.

Friedmann Georges, *Où va le travail humain ?,* Gallimard, 1967.

Furet François, *Le Passé d'une illusion,* Robert Laffont/Calmann-Lévy, 1995.

Galéano Eduardo, « Vers une société de l'incommunication », *Le Monde diplomatique,* janvier 1996.

Gauchet Marcel, *Le Désenchantement du monde, une histoire politique de la religion,* Gallimard, 1985.

Gauchet Marcel, *La Révolution des droits de l'homme,* Gallimard, 1989.

George Suzan, Sabelli Fabrizio, *Crédits sans frontières,* La Découverte, 1994.

Gorz André, *Métamorphoses du travail : quête du sens,* Galilée, 1988.

Groupe de Lisbonne, *Limites à la compétitivité,* La Découverte, 1995.

Guetta Bernard, *Géopolitique,* Éditions de l'Olivier, 1995.

Guillebaud Jean-Claude, *La Trahison des lumières,* Seuil, 1995.

Halimi Serge, « Les Chantiers de la démolition sociale », *Le Monde diplomatique,* juillet 1994.

Hassoun Martine, Rey Frédéric, *Les Coulisses de l'emploi,* Arléa, 1995.

Henry Michel, *La Barbarie,* Grasset, 1987.

Iribarne Philippe d', *La Logique de l'honneur. Gestion des entreprises et traditions nationales,* Seuil, 1989.

Iribarne Philippe d', *Le Chômage paradoxal,* 1990.

Jalée Pierre, *Le Pillage du tiers monde,* Maspero, 1961.

Jeanneney Jean-Marcel, *Vouloir l'emploi,* Odile Jacob, 1994.

Jeanneney Jean-Noël, *Écoute la France qui gronde,* Arléa, 1996.

Jues Jean-Paul, *La Rémunération globale des salaires,* PUF, Que sais-je ?, n° 2932, 1995.

Julien Claude, « Capitalisme, libre-échange et pseudo-diplomatie : un monde à vau-l'eau », *Le Monde diplomatique,* septembre 1995.

Julliard Jacques, *Autonomie ouvrière, Études sur le syndicalisme d'action directe,* Seuil, 1988.

Julliard Jacques, *Ce fascisme qui vient...,* Seuil, 1994.

Kahn Jean-François, *La Pensée unique,* Fayard, 1995.

Keynes John Maynard, *Théorie générale de l'emploi, de l'intérêt et de la monnaie,* nouvelle édition, Payot, 1985.

Labbens Jean, *Sociologie de la pauvreté,* Gallimard, 1978.

Lafargue Paul, *Le Droit à la paresse : réfutation du droit au travail de 1848,* Maspero, 1987.

Le Débat, « L'État-providence dans la tourmente. Repenser la lutte contre le chômage ? », n° 89, mars-avril 1996.

Le Goff Jean-Pierre, *Le Mythe de l'entreprise,* La Découverte, 1992.

Le Goff Jean-Pierre, Caillé Alain, *Le Tournant de décembre,* La Découverte, 1996.

Lesourne Jacques, *Vérités et mensonges sur le chômage,* Odile Jacob, 1995.

Lévy Bernard-Henri, *L'Idéologie française,* Grasset, 1981.

Lévy Bernard-Henri, *La Pureté dangereuse,* Grasset, 1994.

Magazine littéraire, « Les exclus », n° 334.

Mamou-Mani Alain, *Au-delà du profit,* Albin Michel, 1995.

Manent Pierre, *Histoire intellectuelle du libéralisme,* Calmann-Lévy, 1987.

Manière de voir, n° 28, « Les nouveaux maîtres du monde », *Le Monde diplomatique,* 1995.

Mazel Olivier, *Les Chômages,* Le Monde-Marabout, 1993.

Méda Dominique, *Le Travail en voie de disparition,* Aubier, 1995.

Ménanteau Jean, *Les Banlieues,* Le Monde-Marabout, 1994.

Mignot-Lefebvre Yvonne, Lefebvre Michel, *Les Patrimoines du futur,* L'Harmattan, 1995.

Minc Alain, *L'Argent fou,* Grasset, 1990.

Minc Alain, *L'Ivresse démocratique,* Gallimard, 1984.

Morin Edgar, *L'Esprit du temps,* LGF, Le Livre de Poche Biblio, 1983.

Nora Pierre *(sous la direction de), Les Lieux de mémoire,* Gallimard, 1984.

Norel Philippe, *Les Banques face aux pays endettés,* Syros, 1990.

Norel Philippe, Saint-Alary Éric, *L'Endettement du tiers monde,* Syros, 1988.

OCDE, *Étude sur l'emploi, Faits, analyse, stratégies,* 1994.

OCDE, *Étude sur l'emploi, Fiscalité, emploi, chômage,* 1995.

OCDE, *Étude sur l'emploi, La mise en œuvre des stratégies,* 1995.

Pascal Blaise, *Pensées,* Pléiade, Gallimard.

Paugam Serge *(sous la direction de), L'Exclusion : l'état des savoirs,* La Découverte, 1996.

Perret Bernard, *L'Avenir du travail,* Seuil, 1995.

Perrin-Martin J.-P. *(documents rassemblés par),* préface d'Alfred Grosser, *La Rétention,* L'Harmattan, 1996.

Petrella Riccardo, « Le retour des conquérants », *Le Monde diplomatique,* mars 1995.

Phelps Edmund S., *Économie politique,* Fayard, 1990.

Piot Olivier, *Finance et économie, la fracture,* Le Monde-Marabout, 1995.

Plenel Edwy, *La République menacée, dix ans d'effet Le Pen, 1982-1992,* Le Monde éditions, 1992.

Poirot-Delpech Bertrand, *Diagonales,* Gallimard, 1995.

Polanyi Karl, *La Grande Transformation : aux origines politiques et économiques de notre temps,* Gallimard, 1983.

Pol Droit Roger, *L'Avenir aujourd'hui dépend-il de nous ?,* Le Monde éditions, 1995.

Ramonet Ignacio, « Pouvoirs fin de siècle », *Le Monde diplomatique,* mars 1995.

Rancière Jacques, *La Mésentente (politique et philosophie),* Galilée, 1987.

Reich Robert, *L'Économie mondialisée,* Dunod, 1993.

Revel Jean-François, *Le Regain démocratique,* Fayard, 1992.

Rifkin Jeremy, *The End of Work,* Putnam's Sons, New York, 1995.

Rigaudiat Jacques, *Réduire le temps de travail,* Syros, 1993.

Rosenvallon Pierre, *La Nouvelle Question sociale,* Seuil, 1995.

Rousselet Jean, *L'Allergie au travail,* Seuil, 1978.

Rousselet Micheline, *Les Tiers Mondes,* Le Monde-Marabout, 1994.

Roustang Guy, Laville Jean-Louis, Eme Bernard, Mothé Daniel, Perret Bernard, *Vers un nouveau contrat social,* Desclée de Brouwer, 1996.

Séguin Philippe, *En attendant l'emploi...,* Seuil, 1996.

Shakespeare William, *La Tempête...* et tout le Théâtre !, Pléiade, Gallimard.

Suleiman Ezra N., *Les Raisons cachées de la réussite française*, Seuil, 1995.

Sullerot Évelyne, *L'Age de travailler*, Fayard, 1986.

Supiot Alain, *Critique du droit du travail*, PUF, 1994.

Thuillier Pierre, *La Grande Implosion*, Fayard, 1995.

Todd Emmanuel, *Le Destin des immigrés : assimilation et ségrégation dans les démocraties occidentales*, Seuil, 1994.

Toffler Alvin, *Les Nouveaux Pouvoirs*, Fayard, 1991.

Topalov Christian, *Naissance du chômeur (1880-1910)*, Albin Michel, 1994.

Touraine Alain, *Production de la société*, Seuil, 1973.

Touraine Alain, *Critique de la modernité*, Fayard, 1992.

Touraine Alain, *Qu'est-ce que la démocratie ?*, Fayard, 1994.

Touraine Alain, Dubet François, Lapeyronnie Didier, Khosrokhavar Farhad, Wieviorka Michel, *Le Grand Refus, Réflexions sur la grève de décembre 1995*, Fayard, 1996.

Tribalat Michèle (*avec la participation de* Simon Patrick, Riandey Benoît), *De l'immigration à l'assimilation*, La Découverte, 1996.

Vaillant Emmanuel, *L'Immigration*, Milan, 1996.

Vetz Pierre, *Mondialisation des villes et des territoires, l'économie d'archipel*, PUF, 1996.

Virilio, Paul, *Cybermonde, la politique du pire,* entretiens avec Philippe Petit, Textuel, 1996.

Voyer Jean-Pierre, *Une enquête sur la nature et les causes de la misère des gens,* Lebovici, 1976.

Warde Ibrahim, « La Dérive des nouveaux produits financiers », *Le Monde diplomatique,* juillet 1994.

Wiener Norbert, *Cybernetics, or Control and Communication in The Man and The Machine,* 1948.

Wiener Norbert, *The Human Use of Human Beings. Cybernetics and human beings,* 1950.

Wuhl Simon, *Les Exclus face à l'emploi,* Syros, 1992.

DU MÊME AUTEUR

Ainsi des exilés, 1970, roman, Gallimard et Folio.
Le Grand Festin, 1971, roman, Denoël.
Virginia Woolf, 1973, essai, éd. Quinzaine littéraire.
Le Corps entier de Marigda, 1975, roman, Denoël.
Vestiges, 1978, roman, Seuil.
La Violence du calme, 1980, essai, Seuil et Points-Seuil.
Les Allées cavalières, 1982, roman, Belfond.
Van Gogh ou l'enterrement dans les blés, 1983, biographie, Seuil et Points-Seuil (Prix Femina-Vacaresco, 1983).
Le Jeu des poignards, 1985, roman, Gallimard.
L'Œil de la nuit, 1987, roman, Grasset.
Mains, 1988, essai, Séguier.
Ce soir, après la guerre, 1992, récit, Lattès, Le Livre de Poche et nouvelle édition 1997, Fayard.